人は見た目！と言うけれど

―私の顔で，自分らしく

外川浩子

岩波ジュニア新書 926

はじめに

あなたは経験したことがありますか？

駅の改札で、すれちがいざまに「うぇっ、気持ち悪い顔」と吐《は》き捨てられる。

電車の中で、知らない人から「あれ見て、ヤバい」と指をさされる。

前から歩いてきた高校生たちに「自分があんな顔だったら、自殺しちゃーう」と笑われる。

バイトの面接に行ったら、「お客さんがいやがるから」と履歴書《りれきしょ》を返される。

コンビニで買い物をしたとき、レジで、まるで汚《きたな》いものにはさわりたくないかのように、さし出した手の上の方からおつりを落とされる。


じつは、これはすべて「ある特徴《とくちょう》をもつ人たち」の身に起きた本当の話です。「ある特徴をもつ人たち」とは、生まれつきの顔のアザ、病気や事故による身体の変形、傷痕《きずあと》、脱毛《だつもう》など、見た目に目立つ症状《しょうじょう》をもつ人たちのことです。いやなことを言われたり、ひどいことをされたり、ジロジロ見られたり。「街を歩いているときは、視線のナイフでメッタ刺《ざ》しにされている気分です」と言った人もいました。「見た目」は、そんなに大事でしょうか？

正直に告白します。私もみなさんと同じ年のころには、「どんなに建て前を取りつくろっても、しょせん本音では、人は見た目なんでしょ」と思ったこともありました。でも、今はちがいます。たしかに、見た目がよければ得をすることもあるかもしれないけれど、世の中はそんなに単純ではありません。

二〇〇六年七月、私は弟と二人で「マイフェイス・マイスタイル」（以下、マイフェイス）という団体を立ち上げました。見た目の症状をもつ人たちがぶつかる困難を「見た目問題」と名づけ、問題解決を目指して、交流の場を作ったり講演活動を行ったりしています。

ちなみに、私も弟も見た目の症状はありません。私が若いころ、赤ちゃんのときに顔にやけどをした男性とおつき合いをしていたという極《きわ》めて個人的な経験をきっかけに、「見た目問題」に関心をもつようになりました。

マイフェイスを設立する以前は、見た目に症状をもつ人たちの体験談などを社会にむけて情報発信している団体で活動をしていました。ある日、当事者さん（マイフェイスでは、見た目に症状をもつ人たちを「当事者」と呼んでいます）五、六人と雑談していたとき、生まれつき顔に赤アザのある女性がこんな話をしました。

「学校や自治体などで講演をすると、必ずといっていいほど「私は気にしていません」と言いに来る人がいるけど、あれには本当にがっかりする」と。すると、一緒《いっしょ》にいた他の当事者たちも、「ああ、わかる。いるよね、そういう人。いったい何を聞いていたのかって思うよ」と同意していました。

私はこの話を聞いて、とてもおどろきました。なぜなら、「私は気にしていませんよ」と当事者に伝えることが最善策だと、私も信じて疑わなかったからです。「この人たちは、自分の見た目のせいでみんなからきらわれていると思いこんでいるにちがいない。だったら、私は気にしていないと伝えれば、きっと安心するはずだ」と思っていました。

当事者の男性とおつき合いをしていたということもあって、私は当事者の気持ちがわかっているつもりでした。ですから、その女性の言葉《ことば》を聞いたときはとてもショックで、この先いったいどうやって当事者の人たちとつきあっていけばいいのか、まったくわからなくなってしまったのです。

そこで、とにかく当事者の人たちがどんなことを望んでいるのか聞いてみることにしました。大勢の人たちから、体験してきたことやそのときの気持ちなどを聞いていくうちに、あることに気づかされました。それは、結局のところ私は、彼《かれ》ら・彼女《かのじょ》らの身に起こっていることを他人事《ひとごと》としか考えていなかったということです。

でも、今は見た目の症状を持たない私自身も、事故や病気によって、いつ当事者になってもおかしくはありません。もしも火事で顔に大やけどを負ってしまったら、あるいは事故で大きな傷痕ができてしまったら、せっかく命が助かっても、変わってしまった自分の姿が受け入れられず、死にたいとすら思うかもしれない。

そんなふうに自分の身にも起こりえることなんだと考えるにつれて、しだいに私は、彼ら・彼女らの生き方そのものに惹《ひ》かれていきました。

本書では、七名の当事者さんたちを紹介《しょうかい》しています。中学生のころから髪《かみ》が抜《ぬ》け始め、治っては抜け、また治っては抜けと、何度も脱毛症の再発をくり返し、今はカツラを使っている男性、生まれつき色素がなくブロンドの髪とうすい青緑色の瞳《ひとみ》をもつアルビノの女性、四歳《さい》で病気を発症《はっしょう》し、顔の左側だけが萎縮《いしゅく》した女性、生まれて半年で脱毛症になり、小中高とずっと髪がないままの状態で過ごし、大学生からカツラを使いはじめた男性、生まれつき片方の耳が小さくて、小学生のころに自分の肋軟骨《ろくなんこつ》と皮膚《ひふ》を使って耳をつくる手術を受けた女性、大学生になって、初めて自分と同じ症状の人と出会った口唇口蓋裂《こうしんこうがいれつ》の男性、二〇代のときに事故で小指の先を失った女性というように、彼ら・彼女らの症状はさまざまです。

また、中学生のころに見た目でいじめられた経験のある女性、そしてその人をいじめてしまった男性、双方《そうほう》のいまの気持ちも語っていただくことができました。

ほかにも本書では、二〇年近くの活動を通して感じたことや、見た目が重要視されている時代だからこそ伝えたいことなどをお話しします。

見た目の症状がある人にも、そうではない人にも、また、症状はないけれど外見をすごく気にして生きている人にとっても、世界が広がるヒントになればと思います。

ところで、先ほど、「私は気にしていません」と言いに来る人には本当にがっかりするという話を紹介しましたが、みなさんはそれがなぜ「がっかり」なのかわかりますか？「見た目問題」にあまりふれたことがない人には難しい質問かもしれません。本書を読み終えるころにはその答えが見つかることを願いながら、お話をはじめようと思います。

※「見た目問題」とは

世の中には、先天的(生まれつき)または後天的(事故や病気等)な理由で、顔や体に特徴的に目立つ症状をもつ人たちがいます。生まれつきのアザ、事故や病気による傷痕、変形、欠損、麻痺《まひ》、脱毛などがある人たちです。そのような見た目に症状をもつ人たちがぶつかる困難を「見た目問題」といいます。

マイフェイスでは、見た目に症状をもつ人たちを「見た目問題」当事者と呼んでいますが、日本にはおよそ一〇〇万人の当事者がいます。ジロジロ見られる、心ない言動に傷つけられる、いじめのターゲットになりやすいなど、厳しい状況におかれ、孤立《こりつ》を深める人は少なくありません。自ら命を絶ってしまう人もいます。

当事者たちが困難にぶつかるのは、見た目に症状があるからではありません。まわりの人たちが症状についてよく知らなかったり、考える機会がなかったりしたことから、誤った対応や失礼な態度をとってしまうことに原因があります。

「見た目問題」とは、「見た目に問題がある」ということではなく、「見た目を理由とする差別や偏見《へんけん》によって生じる問題」のことです。

目次

扉写真＝123RF

第１部
当事者を生きて

第１部では、見た目に症状《しょうじょう》のある７人のみなさんをご紹介《しょうかい》します。生まれつきの症状の方もいれば、事故や病気で症状を持つようになった方もいます。見た目の症状は人生にどんな影《えい》響《きょう》を及《およ》ぼしたのでしょうか？　そして、彼《かれ》ら・彼女《かのじょ》らはどうやってその状況《じょうきょう》に折り合いをつけてきたのでしょうか？

※年齢《ねんれい》、職業は取材当時のものです。

理想の自分を求めて

人物ファイル1

森《もり》田《た》太郎《たろう》さん（仮名）
（38歳《さい》　会社員）
症状《しょうじょう》：全頭型円形脱毛症《だつもうしょう》

【症状解説】円形脱毛症
通常、髪《かみ》の毛が円形に抜《ぬ》けてしまう症状だが、頭部全体や全身の体毛も抜けてしまう場合がある。本来はウイルスや病原菌《きん》から体を守る役割を果たす血液中のリンパ球が、毛根を異物として誤って攻撃《こうげき》することで脱毛を引き起こす自己免疫疾患《めんえきしっかん》と考えられている。ストレスや疲労《ひろう》などが引き金になったり、症状を悪化させたりするといわれているが、詳細《しょうさい》は不明。人口の一～二％に発症《はっしょう》すると言われ、日本には患者《かんじゃ》が一二〇万～二五〇万人いると推測される。

【私から見た森田太郎さん】

一〇年ほど前、「円形脱毛症を考える会(ひどりがもの会、現NPO法人円形脱毛症の患者会)」が開いた交流会で、まだ大学生だった森田さんと出会いました。知り合いもほとんどなく、少し緊張《きんちょう》していた私に、優《やさ》しい笑顔《えがお》で話しかけてくれました。

当時、森田さんはすでにカツラを着けていましたが、とても自然で、教えてもらうまで私はカツラだと気づかなかったくらいです。

ヴィジュアル系バンドが好きで、シュッとしたイケメンの森田さんは、服も靴《くつ》もバッグもすごくおしゃれ。失礼な言い方になるかもしれませんが、「当事者でこんなにおしゃれしている人もいるんだなあ」と思ったことを覚えています。

「見た目問題」にはいろいろな症状があります。パッとひと目見ただけですぐにわかる症状もあれば、かくせるものもある。そのかくせるものの一つが「脱毛症」です。カツラさえ着けてしまえば脱毛の症状はわかりません。それで問題解決のように思えるかもしれませんが、今度は、カツラだと誰《だれ》かにバレてしまうのではないかという恐怖《きょうふ》がつきまといます。もしバレたら、「ハゲ」「ヅラ」とバカにされてしまうかもしれない。そんな状況は容易に想像ができることと思います。

カツラを着けずに、ありのままの姿で生活している人もいれば、カツラを着けていることをまわりに知られても気にしないという人もいます。ただ、なかにはカツラを着けていることを人に気づかれないようにしている人もいます。森田さんもそのひとりです。

カツラを着け、まわりにバレないように気をつかいながら、なんとかして自分の納得《なっとく》いく姿に近づこうとしてきた森田さん。どんな経験が今の彼《かれ》につながっているのでしょうか。

森田さんのお話

✤中学で円形脱毛症を発症して

僕《ぼく》は今、「カツラ」を着けて生活しています。ただ、ふだんは「カツラ」とは言わず、「ウィッグ」と言っているので、今回も「ウィッグ」とさせてもらいますね。

僕が円形脱毛症になったのは、中学一年の冬でした。

どちらかというとおとなしい子どもでしたが、小学生時代はそれなりに友だちもいて、普《ふ》通《つう》に楽しく過ごしていました。ところが、中学生になると、僕はいじめにあうようになりました。同じ小学校出身の男子が少なくて、クラスには僕を含《ふく》めて四人だけ。そのうちのひとりとあまり仲が良くなかったせいか、しだいに僕だけ仲間はずれにされるようになったのです。そのうち、靴やペンをかくされるといったいやがらせを受けるようになりました。

もちろん気分のいいものではありません。でも、僕は「やめろよ」と言える度胸もなく、親にも先生にも言えず、がまんして学校に通っていました。そのストレスが原因かどうかはわかりませんが、中学一年の冬、美容院で散髪《さんぱつ》中に円形脱毛症が見つかったのです。後頭部にひとつ、十円玉くらいの大きさでしたが、僕も親も、すぐに治るだろうとあまり気にしていませんでした。

そのころ、僕には髪の毛をさわるくせがあったのですが、あるときから、さわっているとブチブチと髪が抜けるようになりました。治療《ちりょう》についてはあとで詳《くわ》しく述べますが、このときから治療を受け始めました。ところが、みるみるうちに脱毛部分が広がっていき、どうすることもできません。二年生に進級したばかりの四月の集合写真では髪の毛があるのに、五月の写真ではもう全体的に髪の毛がありませんでした。

子どもとはいえ、ショックなできごとだったのでしょう。今ふり返ると、このころの記憶《きおく》があまりありません。たとえば、林間学校の写真を見ると、ジャージを着て、髪の毛のない姿で僕が写っています。だけど、そんな自分の姿を見ても、なぜだか自分だと思えない。その場にいた実感がないんです。中学のころのできごとはほとんど思い出せません。

今でも時々、こんな夢を見ます。中学校の教室に、大人の姿の僕がひとりポツンと座《すわ》っている。なぜかウィッグを着けていなくて、髪の毛がない頭をさらしたまま。「やばいやばい、どうしよう、みんなが来ちゃう」と半泣きであせっていると、パッと目がさめる。

中学のころのことはほとんど覚えていないけれど、こんな夢を見るくらいだから相当つらかったのだと思います。

高校での新たな生活の始まり

脱毛の症状は良くなったり悪くなったりをくり返していましたが、ちょうど高校に入学したときは、髪の毛がまだらに生えている状態でした。生えている部分は髪の毛を伸《の》ばし、生えていない部分は髪の毛がない状態。そんな中途半端《ちゅうとはんぱ》で奇妙《きみょう》な感じの頭でしたから、高校では笑いものにされていました。

僕のほうを見てコソコソ話して笑ったり、僕に聞こえるように「キモイ」と言ったり。学校の廊下《ろうか》で、わざと僕にわかるようにして写真を撮《と》られたこともあります。当時は携帯《けいたい》電話が出始めたころで、高校生はまだ持っていなかったから、使い捨てカメラで撮られました。今だったらきっと、スマホで撮られて、すぐにネットで拡散されたでしょうね。想像しただけで恐《おそ》ろしいです。

高校生ですから、異性も意識しました。だけど、女子は苦手でした。というか、こわかった。見た目に対する意識は男子より女子のほうが強そうなので、きっと気持ち悪いと思われているだろう、いやがられているだろうと思っていました。実際、女子ウケは悪かったです。昼は仲の良い人たちとグループになって弁当を食べていたのですが、教室のなかであれば誰の席でも自由に座っていいのに、僕の席だけは女子は誰も使いませんでした。

そんな学校生活でしたけど、仲のいい男友だちは数人いました。僕、高校入学のときの自己紹介《しょうかい》で、勇気をふりしぼってこう言ったんです。「病気で髪の毛がないけど、けっしてうつるような病気じゃありません。仲良くしてくれるとうれしいです」って。そうしたら、友だちができました。一緒《いっしょ》に音楽を聴《き》いたり、ゲームをしたり。普通に仲良くしてくれて、すごくうれしかった。

脱毛症の治療は高校生になってからもずっと続けていました。すると、二年生のときには髪の毛がない部分をかくせるくらいにまで回復し、「楽しいこと」ができるようになりました。CDを買ったり、ファミリーレストランで友だちとしゃべったりなど、学校の帰りに寄り道ができるようになったのです。それまではすれちがう人たちからジロジロ見られるのがいやで、逃《に》げるように家に帰っていました。だから、寄り道できることが楽しくてしかたありませんでした。

アルバイトも始めました。人からジロジロ見られなくなって、友だち以外の人と一緒にいるのもそんなにこわくなくなったので、思い切って働いてみたんです。近くの工場で、パックづめにされた牛乳をケースに並べていくという地味な仕事でしたけれど、本当にうれしかった。やっと人並みの経験ができるようになりました。

予備校でのできごと

中学のころは、学校ではしんどい思いばかりでほかに楽しいこともなかったので、のめりこむような感じで勉強に打ちこんでいました。でも、高校では脱毛症が少し改善したり、アルバイトも始めたりと楽しい時間が増えたせいか、家であまり勉強をしなくなってしまいました。そこで、大学受験にむけて高校二年の終わりから予備校に通うことにしたのです。

知り合いに会わないようにするため、あえて自宅からはなれたところにある小さな予備校を選びました。というのも、そのころはもう脱毛の症状がわからないほど回復していたので、知り合いさえいなければ誰も僕が脱毛症だと気づかないだろうと思ったからです。

期待どおり、その予備校には知り合いはひとりもいませんでした。そして、誰も僕の病気に気づいていない。おかげで予備校では親しい友人もたくさんできました。教室で女子とも普通に話したり、ご飯を食べたりもしました。高校ではできなかった素《す》の自分を表現することもできるようになり、あこがれていた学生生活を送れるようになりました。

――ところが、高校三年の夏期講習で同じ中学出身の女子生徒がその予備校にやって来て、僕の予備校生活が一変しました。その子は中学の卒業アルバムを持ってきて、みんなに見せてしまったのです。アルバムには髪の毛のない姿の僕が写っています。当然、予備校のみんなに僕の病気のことがバレてしまいました。なぜ彼女《かのじょ》がそんなことをしたのかはわかりません。たぶん、ただ自分の中学時代を見せたかっただけなのだと思います。

とにかく、その日からみんなよそよそしくなり、当たり前のように無視されるようになりました。僕の顔を見ると下を向いたり、教室の扉《とびら》を閉められたり。女の子に声をかけようとして逃げられたこともあります。

僕はこのとき、つくづく思い知らされました。「罪を犯《おか》したわけではないけれど、病気のことがバレてしまえばそれでおしまい。たとえ病気が治ったとしても、髪の毛がなかったという事実を、僕は一生背負って生きていくんだ。恋愛《れんあい》なんて到底《とうてい》できるわけがない」と。

❀運命のウィッグとの出会い

高校卒業から数年間、アルバイトをしながら予備校に通い、大学に進学することになりました。できる限り自分で学費を工面し、そして必ず卒業すること。この二つを入学時に自分に決めごととして課しました。

当時も僕の髪の毛は脱毛をくり返していて、薄毛《うすげ》かくしのスプレーを頭部全体にふりかけて何とか外に出られるような状態でした。だから、悩《なや》んだ結果、大学にはウィッグを着けて行くことにしました。正直、入学時はこれから始まる大学生活への期待などまったくなく、とにかく不安な思いしかありませんでした。

じつは、初めてウィッグを買ったのは高校受験のときでした。母と二人でデパートのカツラ売り場へ行って購入《こうにゅう》しました。五万円くらいだったと思います。それを子どものころから通っている近所の美容院でカットしてもらって着けてみたのですが、いかにも「カツラ」という感じがして、まったく気に入りませんでした。美容院の帰りにファミリーレストランで食事をしたのが唯一《ゆいいつ》、そのウィッグを着けたときです。結局、高校へは一度も着けて行きませんでした。

そんな苦い経験をしたこともあり、大学入学時はオーダーウィッグを製作している会社で購入しました。二七万円くらいしたウィッグは前回のものと比べるとよいものでしたが、やはりどこか不自然で、自分の好きなスタイルとは程遠《ほどとお》いものでした。

それでも当時の僕はそのウィッグにすがるしかありません。大学ではウィッグだとバレるのではないかと不安でいっぱいで、誰とも目を合わせられず、ずっと下ばかり向いていました。教室にもいたくなくて、よくトイレの個室に逃げこんでいました。ひとりぼっちでご飯を食べているところを見られるのもいやで学食にも行けず、トイレの個室でおにぎりを食べたこともあります。「便所めし」というやつです。「せっかくウィッグまでつけて新しい生活をスタートさせたのに何をやってるんだ」と自己嫌悪《じこけんお》の日々でした。

そんな僕の様子を見ていた家族はというと、母は中学のころから僕と一緒になっていろんな治療法や育毛サロンを探してくれたりしましたが、父は「髪の毛がなくても、死にはしない」という考えでした。大学一年の夏休みに入るころ、お金のことで父と口論になり、「お前のためだけに働いてるわけじゃない」と言われたことがあります。実際、治療などでかなり費用がかかっていたので、何も言い返せませんでした。僕は父と顔をあわせるのもいやで、夜、父が仕事から帰ってくる前に家を出て海の見える公園へ行き、一晩中ぼーっと海を眺《なが》めていました。そして翌朝、父が仕事に出かけるのを見はからって家に戻《もど》り、眠《ねむ》る。そんなことを夏休みの間一か月くらい続けていました。

でも、後から知ったのですが、父は僕の治療費のためにと、本当は懸命《けんめい》にお金を工面してくれていました。そんな父の気持ちも知らず、僕は将来に対する不安を漠然《ばくぜん》と抱《いだ》いたまま、ただあせっていました。

「変わりたい。でも、どうしたらいいのかわからない」。そうもがいていた時期に、転機が訪《おとず》れます。家の近所の本屋でアルバイトをしてためたお金で、僕は海外から通信販売《はんばい》でウィッグを購入することにしたのです。当時、交流があった脱毛症の当事者の知人が海外のウィッグを使用していて、それが金額の割に自然だったからです。

そこで、自分なりにいろいろ調べて、じっくり吟味《ぎんみ》したうえでウィッグを注文しました。たしか、四万円ほどでした。ロングヘアのままの状態で送られてきて、それを自分の好きなようにカットします。僕にはしてみたいヘアスタイルがあったので、何とか形になるようにハサミやカミソリを使って何度も自分でカットしました。そのかいあって、ほぼ望みどおりのウィッグに仕上げることができました。

このウィッグとの出会いが運命的でした。僕はこのウィッグがすごく気に入って、それこそ人に自慢《じまん》したいとさえ思いました。だから、それまではウィッグだとバレるのがこわかったのに、もしも「それ、ウィッグ?」と聞かれたら「そうだよ、似合うでしょ」と答えればいいやと思えるようにもなれました。こんなふうに変われるなんて、夢にも思っていませんでした。まさに、運命のウィッグです。

おかげで大学でも自分を表現できるようになりました。人の目を見て話せるようになり、人前に出ることも苦ではなくなりました。一度はやってみたかった服や雑貨を販売しているショップ店員のアルバイトもすることができました。このときは自分を奮い立たせようと、あえて常に混んでいる大型店舗《てんぽ》を選んだりもしました。

人の目がまったく気にならなかったわけではありませんが、それ以上にやりたいことができる喜びの方が大きく、今思うととても充実《じゅうじつ》した時間でした。人と積極的にコミュニケーションをとれるようになったのもこの時期からだと思います。

✿ 犠牲《ぎせい》にしてきたこと

ウィッグを着けるようになって、僕はそれまで、どれほど「いろんなもの」を犠牲にしてきたのかに気づきました。

まず、僕はあらゆる治療を受けてきました。母が新聞、雑誌、口コミなどでいろんな治療法を仕入れてきてくれて、少しでも髪によいと言われることはなんでも試《ため》しました。育毛剤《いくもうざい》はもちろんのこと、液体窒素《ちっそ》を頭皮にあてたり、ステロイドを塗《ぬ》ったり飲んだり、注射もしました。鍼《はり》治療や漢方薬も試しました。頭皮をわざとかぶれさせて、毛根を攻撃するリンパ球を抑制《よくせい》するという治療もやりました。頭皮をかぶれさせるわけですから、それはもう、かゆくてかゆくて大変でした。

アロエを頭皮に塗ったりもしました。中学も高校も、ウィッグも帽子《ぼうし》もかぶらずに学校に通っていたのですが、中学時代はよく頭皮が緑色だった記憶があります。奇妙ですよね。でも、当時はそうするしかありませんでした。とにかく、知り得る限りの治療法を試しました。

それから、自然治癒《ちゆ》を奨励《しょうれい》している育毛サロンにも行きました。そこではすごく厳しい食事制限を指導されたのです。肉は一切《いっさい》食べない、油ものもダメ。スナック菓子《がし》もスイーツもダメで、主食は野菜。ドレッシングがきらいだった僕はキャベツやレタスを生のまま、味もつけずに食べていました。ワカメ、昆布《こんぶ》、ゴマもよく食べました。全然おいしくないから、お茶で流しこんでいました。ほかにも、入浴前後は一時間ほど時間をかけてマッサージや育毛剤の塗布《とふ》をしたり、睡眠《すいみん》不足は髪に悪いからと夜一〇時には寝《ね》るようにする。そんな生活を高校生のころから毎日送っていました。

家族にもかなり負担をかけていました。治療や育毛サロンに相当お金がかかっていて、当時は知らなかったのですが、親戚《しんせき》からも借金していたそうです。このころの領収証は自分への戒《いまし》めのために保管してあります。苦しかった当時のことや両親への感謝の気持ちを忘れないようにするためです。今も時折見ては、親にかけた苦労に思いをはせています。

三歳年下の弟とは、当時はあまり仲が良くありませんでした。じつは、弟は登下校のときに「お前の兄ちゃん、ハゲじゃん」といじめられていたそうです。でも、弟は僕にも親にも言わなかった。大人になって初めて聞きましたが、弟なりに僕に気をつかってくれたのです。弟には本当に申しわけないことをしました。今は仲良くやっています。

中学一年生で発症してから約一〇年間、脱毛症を治すことを最優先にして生きてきました。お金や時間をつかい、家族にも負担をかけて治療を続けてきました。髪に悪いことも一切しない。食べたいものもがまんして、ウサギみたいに葉っぱばっかり食べて。早寝しなくてはいけないのに、入浴時には時間をかけて頭を蒸《む》す必要があるから、高校でせっかくできた友だちにご飯などに誘《さそ》われても断ったりしました。今思えば度を越《こ》えていて、逆に精神的によくなかったのかもしれません。

登校拒否《きょひ》という選択肢《せんたくし》は、当時の僕には思いつきませんでした。父が厳しかったのもありますが、髪がいっぺんに抜けたのではなく、徐々《じょじょ》に抜けていったので、学校に行くのをやめるタイミングを逃《のが》してしまったのかもしれません。僕はどんなにつらくても、ひたすら耐《た》え、がんばって学校に通っていました。よく死ななかったと思います。あのころの自分を本当によくがんばったとほめてやりたい。今同じことをやれと言われても、絶対にできません。

だけど、こんなに必死にがんばっても思うように治らない。良くなっては悪くなり、また良くなっては、また悪くなる。そんなことを長年かけてくり返していて、いいかげんうんざりしていたときに、あの運命的なウィッグに出会ったのです。

そうしたら急に「もう治らなくてもいいや」と思うようになりました。だって、ウィッグさえつければ普通に生活できるんです。すべてから解放され、これまでかけてきたお金や時間をもっとほかのことに使うことができる。アルバイトをして自分でお金を稼《かせ》げば、家族にも負担をかけなくてすむ。治療の痛みやかゆみに耐える必要もない。食事も遊びも、がまんしてきたことが全部できる！　パーッと道が開けたように感じました。

おしゃれ、恋愛、今の仕事

気に入ったウィッグを着けるようになってからは、おしゃれにも積極的になりました。ウィッグの代わりにニット帽《ぼう》にエクステを付けてかぶったりもしました。よく外出するようになったし、友だちも増えました。

あるとき、僕の脱毛症のことを知っている女友だちに、「今、帽子をかぶっているけど、帽子を取って歩きたいって言ったら、一緒に歩いてくれる？」と聞いたら、「うん、いいよ」とサラリと返してくれました。すごくうれしかったです。そんなふうに友人に支えられながら、異性への苦手意識もなくなっていきました。

ところで、僕はヴィジュアル系のバンドが好きなのですが、最初は自分に髪がなかったことで、長い髪とか、カラーリングで髪を染めてキレイな格好をしている男性の姿にあこがれたからでした。ウィッグを着けて好きな格好ができるようになってからは、よくライブにも行くようになったんです。ライブハウスに通っているうちに同じバンド好きの仲間もできました。今のパートナーともライブがきっかけで出会い、仲良くなりました。

予備校でのできごとがあったので、僕は彼女とつき合う前に病気のことは全部伝えて、それでもいいと言ってくれたらつき合おうと思っていました。残念なことですが、脱毛症の人のなかには病気が理由で交際を断られる人もいます。僕はつき合う前に、彼女に病気のことは全部伝えました。

彼女は病気にも全然抵抗《ていこう》がありませんでした。もともとサバサバした性格で、細かいことは気にしないタイプの女性です。僕が外出前に、ウィッグが少しでも自然に見えるようにと鏡の前で試行錯誤《しこうさくご》していると、「どっちでもいいじゃん。あんまり変わらないよ」と言われます。

そんな彼女と結婚《けっこん》して一緒に暮らしています。家のなかでもウィッグを着けているのかと聞かれることがあるのですが、僕が着けるのは外出のときだけで、家では外しています。彼女は髪のことをまったく気にしない人なので、自然体で過ごせています。

今、僕はウィッグメーカーに勤めています。じつは、大学卒業後はとある商社に就職しました。入社の際にウィッグを着けていることを伝え、勤務中も着用する許可をもらっていたのですが、二か月が過ぎたころ、上司から「髪が長すぎる。カツラをもっと短くして刈《か》り上げるか、取ってもらえないか」と注意を受けるようになりました。

ウィッグを取って仕事をすることは考えられません。かといって、ウィッグは自然に見えるように慎重《しんちょう》に慎重を重ね整えたもので、簡単に短くできるようなものでもありません。まして刈り上げることなんてできません。社会人になってまでまたこんな思いをするなんて、僕は悩みに悩みました。

就職できずに困っている人からしたら贅沢《ぜいたく》な悩みに見えるかもしれません。でも、僕にとってウィッグの件は死活問題です。中学生のころから脱毛症に苦しみ続け、運命のウィッグに出会ったことでやっとたどり着いた生きる術《すべ》です。同僚《どうりょう》に迷惑《めいわく》をかけてしまうことが本当に申しわけなかったのですが、結局、会社を辞《や》めることにしました。

その後は、服装や髪型に厳しくない職種を探し、ネットショップを運営する会社に就職しました。勉強することもたくさんあり、やりがいのある仕事だったのですが、心のどこかで「ウィッグにたずさわる仕事がしたい」とずっと思っていました。「脱毛症になってよかった」なんて思ったことは一度もありませんが、もし自分の苦い経験が誰かのためになるのであれば、少しは自分が病気になった意味を見いだせるのではないかと思ったからです。

数年後、その思いがかない、縁《えん》あってウィッグメーカーに就職することができました。今は円形脱毛症の患者さん向けにサービスを提供する仕事をしています。

僕は運命のウィッグと出会い、昔の自分では考えられないほど前向きになることができました。大きらいだった自分の外見を受け入れることができるようにもなりました。

だけど、今でも人の目は気になるし、なにより、あの学生時代のつらかったときのことを忘れることはできません。治療もつらかったけど、人からきらわれるのがこわかったんです。好かれなくてもいいけど、きらわれたくはない。ずっとそう思って生きてきました。拒否されていると感じたら、自分からは絶対に近寄りません。

今でも僕は「もっと早くにウィッグと出会えていたらよかった」と思うことが多々あります。それだけ僕にとって「髪の毛」は自分を表現するうえでとても重要で、必要不可欠なものです。十代のうちに今のようなウィッグと出会っていたら、もっと楽しいことがいっぱい待っていたのではないかと思ってしまいます。

だからこそ、昔の僕のように自分の病気が受け入れられず、毎日苦しみながら生きている人がいるのなら、力になりたいと思っています。なりたい自分になって、人生を楽しんでほしい。おこがましいかもしれませんが、そんなことを思いながら現在の会社でがんばっています。

【森田さんの話を聞いて】

髪がない。たったそれだけのことで、どうしていじめられたり、バカにされたりしなくてはならないのでしょうか。絶対におかしいことです。

森田さんは親切で、いつも気配りを忘れない、とても優しい人です。「人は傷つくほど優しくなれる」とも言いますが、森田さんはそれだけ傷ついてきたということなのかと思うと、なんだかとても切なくて複雑な気持ちになります。

もし、私が森田さんのように子どものころに脱毛症になっていたら、どうしただろうかと考えました。たしかに病気になるのは誰のせいでもありません。でも、私だったら優しくなるどころか、家族に八つ当たりしたり、うらみつらみを並べ立てたりしたのではないかと思います。

森田さんの話を聞いていて気づいたことがあります。それは、「とことん苦しんで、やれることは全部やったからこそ、今がある」ということです。どちらかというと出たとこ勝負な気質の私とはちがって、森田さんは準備万端《ばんたん》整えても自信が持てないままに本番を迎《むか》えるタイプで、ときにはこちらがじれてしまうほど、ためらい悩んでいることもあります。そういう森田さんの、治療やウィッグについて後悔《こうかい》のない様子は、むしろさわやかなくらいです。

ゴールのなかなか見えない治療に挑《いど》みながら、森田さんは創意工夫《そういくふう》を重ねる努力をし続けました。その悪戦苦闘《あくせんくとう》の末に、ウィッグを使いながら楽しく生きる術を身につけることができました。そして今は、その経験を同じ脱毛症の仲間たちに惜《お》しみなく伝えています。

また、森田さんは、同じ脱毛症になった者同士だからできることがあるとも話してくれました。家族や親しい人たちが病気のことを理解しようとしてくれていることに感謝はしつつも、同じ症状を持つ仲間たちと「わかる、僕もそうだよ」と無条件でわかりあえる感覚に自分は支えられてきたと言います。きっと今、仲間たちの役に立てることが、森田さんの生きがいにもつながっているのでしょう。

取材を終えて雑談をしていたとき、ふと森田さんがこんな話をしてくれました。

「外川さん、覚えてるかなあ。最初に入った会社を辞めるとき、辞める決心はしたものの、なかなか踏《ふ》ん切りがつかなくてさ。誰かに話を聞いてもらいたくて、外川さんに電話したんだよね。会社からの帰り道、電車を降りて、駅の駐輪場《ちゅうりんじょう》から。そうしたら、外川さん、「何その会社、信じられない！　森田くんの魅力《みりょく》をわからない会社なんて、とっとと辞めちゃえ」って怒《おこ》ってくれたんだよ。あのときはうれしかったし、楽になった」

そういえばそんなこともありました。きっと森田さんの人柄《ひとがら》からして、仕事にはていねいに取り組んでいたはずだし、まわりに迷惑をかけることを気にかけていました。にもかかわらず、ウィッグのことも承知で彼を雇《やと》ったのに、あんな理不尽《りふじん》なことを言うなんて、今思い返しても腹が立ちます。

自分を好きになれなかった理由

人物ファイル2

神原由佳《かんばらゆか》さん

(25歳《さい》　福祉施設《ふくししせつ》勤務)

症状《しょうじょう》：アルビノ

【症状解説】アルビノ

生まれつきメラニン色素をほとんど作れないため、皮膚《ひふ》は色白で、髪《かみ》は白や金色または茶色、目の色はうすい茶色や青色などになる。一万～二万人に一人の割合で生まれると言われ、ほとんどの場合、視覚障がいを持つことになる。遺伝性の症状だが、アルビノとそうではない人との間にアルビノの子どもが生まれる確率は、専門家によればわずか一％にすぎない。

【私から見た神原由佳さん】

神原さんにはじめて会ったとき、肩《かた》までの金髪《きんぱつ》がよく似合う、とてもかわいらしい女の子という印象でした。おしゃれで、ほがらかで、よくしゃべる彼女《かのじょ》は、楽しく充実《じゅうじつ》した毎日を過ごしているように見えました。

ところが、彼女は自分に自信が持てず、気になる異性から「好きだ」と言われても「でも、私なんて……」と素直《すなお》に受け止めることができない、こじらせ系の「でもでも人間」だというのです。

明るく魅力的《みりょくてき》に見えるのに、じつは自分に自信が持てないというギャップは、これまで私が出会ったアルビノの人たちと共通しているものでした。

生まれつき「アルビノ」という症状を持つ神原さんは、「自分は人とはちがう」ということがずっと心に引っかかっていました。そして、人とはちがうということにとらわれるあまり、自信が持てず、自分を大切に思うことができませんでした。

そんな神原さんは自身の経験もふまえて、大学および大学院で自分と同じように人とはちがう見た目をした人たちがぶつかる問題について研究することにしました。研究の過程で、さまざまな症状を持つ人たちやそのご家族の生き方にふれていくうちに、彼女はそれまでずっと両親との間ではあえて封印《ふういん》してきた「アルビノであること」に、真正面から向き合うことを決意しました。

はじめて親の本音を聞いたそのとき、神原さんは運命的といえるほどの衝撃《しょうげき》を受けました。知らぬ間に自分のなかに積み重ねてしまった負の感情に気づいたのです。

では、彼女はどのようにして心の引っかかりを解いていったのでしょうか。

神原さんのお話

私は、みんなとちがう

彫《ほ》りの浅い平たい顔で、目鼻立ちは父親そっくり。生まれたばかりの私の顔を見た祖母は、思わず「あきらだぁ」と言ったそうです。「あきら」とは私の父の名前です。でも、父とは決定的にちがうところがあります。「アルビノ」として生まれた私は、金色の髪に真っ白い肌《はだ》。瞳《ひとみ》の色はうすい青緑で、中心はやや黄色みを帯びています。

そんな見た目をしている私は、小さいころから、自分はまわりの子たちとはちがうと意識して生きてきました。

見た目のことでいじめられた記憶《きおく》はありません。幼稚園《ようちえん》のころ、送迎《そうげい》バスを待っている間に、男の子から腕《うで》を指でつつかれるというようないやがらせをされたことはあります。今思えばアルビノだったからなのかもしれませんが、そのころの私はそんなふうには考えず、ただのよくある子どものちょっかい程度のことと理解していました。

アルビノの人たちのなかには、親戚《しんせき》からさけられたり、髪を黒く染めることを強要されたりした人もいます。でも、私は親戚からいやなことを言われたり、心ない態度をとられたりしたことはありません。親もあまり心配していなかったようで、小学校に入学する際にも事前に学校に何も知らせていませんでした。ただ、入学式の後、学校に呼び出されたそうです。突然《とつぜん》、入学式に真っ白な子どもがやって来たのですから、学校側もおどろいたことでしょう。

家庭でも学校でも理解ある大人たちに囲まれていた私は、見た目がみんなとはちがうからといって、肩身《かたみ》のせまい思いをすることはありませんでした。ただ、ひとつひとつは些細《ささい》なことでも、毎日の生活のなかで積み重ねられていく「みんなとはちがう」できごとが、少しずつ私の心に重しを載《の》せていきました。

私以外のクラスメイトは、みんな黒い髪に黒い瞳、黄色っぽい肌をしています。まわりを見わたしても、学校じゅうでたったひとりの「白い子」でした。授業で自画像を描《えが》いても、当時私が持っていたクレヨンの「肌色」は、私の肌の色とはちがっていました。金髪にあうクレヨンの色もありませんでした。

見た目のことだけではありません。私は弱視《じゃくし》のため(アルビノは、視覚に障がいを持つ人が多くいます)、ルーペや拡大鏡を使って教科書を見たり、テストも拡大コピーにしてもらっていました。席替《せきが》えがあっても常に前の方の席になりました。

また、アルビノはメラニン色素をほとんどつくれないため、日焼けは一大事です。ちょっと気を抜《ぬ》いていると真っ赤に焼けてしまい、ひぶくれになります。だから、一年中日焼けどめクリームを塗《ぬ》っていますし、真夏でも長そでを着ることが多いのです。

まわりから同じになることを強要された経験はありません。髪の色や肌の色のちがいをことさら強調されたわけでもありません。それでも、みんなとはちがうと意識せざるを得ないようなできごとが日々くり返されるうちに、仲間になりたいのになりきれないと感じるようになり、「みんなと一緒《いっしょ》になりたい」と思うようになりました。きっと、さびしかったのだと思います。

具体的に何がどうなればみんなと一緒だといえるのか、私にもよくわかりませんでした。ただ漠然《ばくぜん》とみんなと同じようになりたかったのです。でも、それはいくら願ってもけっしてかなえられることではありません。自分ではどうしようもない「人とはちがう」という現実に、いつしか私は強い劣等感《れっとうかん》を持つようになっていきました。

こじらせ女子、誕生

中学に入学したころはドラマや映画の影響《えいきょう》で吹奏楽《すいそうがく》が流行《はや》っていて、私も吹奏楽部に入り、クラリネットを担当していました。

通っていた中学の吹奏楽部は部員が八〇名を越《こ》す大所帯《おおじょたい》でした。とにかく上下関係が厳しく、先輩《せんぱい》の存在は絶対で、機嫌《きげん》を損《そこ》ねると無視される始末。通りすがりに譜面台《ふめんだい》にふれた、ふれていないなどという些細なことでもよく怒《おこ》られました。

私は弱視で楽譜《がくふ》がよく見えないうえに、もともと要領もあまりよくなかったので、怒られてばかりいました。いつも先輩の顔色をうかがい、神経をすり減らし、楽器の演奏よりも人間関係に疲《つか》れ切っていました。今でもあのようなピリピリと緊張《きんちょう》した雰囲気《ふんいき》は大の苦手で、すぐに逃《に》げ出したくなります。

あまりにも怒られすぎてそれがトラウマとなり、私は「怒れない人」になってしまいました。相手からどんなに理不尽《りふじん》なことをされても、抗《あらが》ってその場をはりつめた空気にすることよりも、ただじっと耐《た》え、ひとりでうじうじと悩《なや》むほうを選んでしまう。そんな面倒《めんどう》くさい性格になってしまったのです。

こんなふうに、中学校生活は私にとって暗黒の歴史でした。とてもじゃないけど、思春期の甘《あま》くてあわい悩みを楽しんだり、本業である勉強に勤《いそ》しんだりするどころの話ではありません。

さらに、「アルビノ」という症状自体も私に負の影《かげ》を落とし続けてきました。

アルビノだからといって病弱でもなんでもなかった私は、病院とはさほど縁《えん》があったわけではありません。せいぜい弱視の関係で眼科に通っていた程度です。ところが、ある日、「アルビノの人は皮膚科にも行ったほうがいい」という情報を母がインターネットで見つけ、中学から皮膚科にも行くようになりました。

アルビノ特有の赤いホクロが気になって受診《じゅしん》したのですが、ホクロは問題ありませんでした。ただ、これをきっかけにその後も皮膚科に通うようになりました。特段治療《ちりょう》するわけではなく、定期検診《けんしん》のようなものだったのですが、病院では不安材料しか得られませんでした。

診察《しんさつ》の度《たび》に、担当医師は「二〇歳ごろから皮膚ガンになる人もいるから、予防したほうがいい」と言うのです。おそらく医師からすれば、今のうちから予防をしっかりしなさいと言いたかったのでしょう。でも、私は「ガンになる」ということばかりが気になってしまいました。親戚にもガンで手術をしたり、亡《な》くなったりしている人がいたため、暗いことしか想像できませんでした。

私は診察を重ねるごとに、自分の未来を悲観していきました。アルビノとは将来ガンになる可能性が高い、人よりも弱い存在なのだと考えるようになってしまったのです。

今から思うと我ながら未熟だったと思うのですが、遺伝したら困るから子どもは産まないほうがいい、だから結婚《けっこん》もしないほうがいいとまで真剣《しんけん》に考えていました。そして、「自分のような劣《おと》っている人間は、こんな恵まれた環境《かんきょう》にいる資格はない。両親のもとで幸せにしていてはいけないんじゃないか、両親からはなれて不幸にならなくちゃいけないんじゃないか」と思い悩んでいました。

いつしか私は、自己肯定感《じここうていかん》を持てず、自分にまったく自信がない、立派な「こじらせ女子」になってしまったのです。

❀ 仲間になりきれなくて

中学の部活動が「こじらせる」原因のひとつではありましたが、私は、楽器の演奏自体はずっと続けていきたいと思っていました。そこで、高校は吹奏楽の有名校を目指したのですが、あえなく受験に失敗。もともとは女子校で、当時共学になったばかりの私立高校に入学しました。

幸いにもその学校は自由な校風が持ち味で、服装も髪型《かみがた》もあまり厳しくなかったため、アルビノの外見も、とりたてて注意をひくことはありませんでした。吹奏楽部にも入ったのですが、部員が一〇人ほどの、のんびりと好きなことをしているような部でした。

友だちもアルビノだからといって特別視することなく、普通《ふつう》に接してくれました。いじめられることもなく、先生から金色の髪の色を注意されることもありませんでした。おだやかに楽しく高校生活を送ることができた私は、本当に恵《めぐ》まれていたのだと思います。

それでも、「みんなと同じになりたい」という願望はあいかわらずあって、せめて合わせられることは合わせようと努力していました。たとえば、バッグやハンカチ、文房具《ぶんぼうぐ》などは自分の好みではなくてもみんなが持っているものを持ち、みんなと同じような服を着てみたりもしました。

でも、いくら同じような格好をし、同じようにふるまっても、常に半歩引いているような感じで、どうしても友だちの輪に思い切って入っていけませんでした。部活帰りにみんなでファーストフードに寄っておしゃべりをして過ごしても、それはそれで楽しかったのですが、心はどこか冷めていました。自分の心のなかに「私はアルビノだ」という思いがいつもあって、みんなとはちがうという意識をぬぐい去れなかったのです。

だからといって、誰《だれ》かにアルビノであることのしんどさを話すこともありませんでした。そのしんどさはあいまいで、うまく説明できなかったし、話したところで当事者でなければわからないだろうと思っていました。実際、友だちのひとりから「気になるんだったら海外に行けばいいんじゃない」と言われたこともあります。けっして意地悪な意味ではなく、海外のほうが多様性があるから暮らしやすいのではないかというような感じでした。

少しずつ変わり始めたけれど

このように、中学とは打って変わって緊張感はないけれど、そこはかとない虚《むな》しさを抱《いだ》きながら高校生活を送っていた私は、将来の夢もやりたいこともありませんでした。大学に進学する際も、親から勧《すす》められるままに父の母校を受験しました。無事に合格できましたが、とくに目標もなかったため、「資格が取れて、将来食いっぱぐれることはないだろう」という程度の理由で社会福祉を専攻《せんこう》することに決めました。

部活動も「中学高校とずっとやってきたし、就職活動にも有利だろう」という考えもあって、大学でも入ろうと思いましたが、あいにく大学には吹奏楽部がありませんでした。たまたまバスケットボール部の友だちに誘《さそ》われて顔を出しているうちに、しだいに部員たちやマネージャーと親しくなり、そのままバスケットボール部のマネージャーをすることとなりました。

それまで吹奏楽一辺倒《いっぺんとう》だった私が運動部のマネージャーをやるなんて、我ながらビックリでしたが、両親も相当おどろいていました。父はスポーツ用品メーカーに勤めていることもあって、かなりうれしかったようです。母も中学高校とバスケットボールをしていたので、私がマネージャーになることを応援《おうえん》してくれました。

私は四年間、とても楽しくマネージャーを続けることができました。でも、はじめは過去の吹奏楽部での体験から上下関係を気にするあまり、先輩マネージャーに甘えることができませんでした。「生意気だ」と言われて、きらわれるのがこわかったんです。

ところが自分が先輩という立場になり、後輩《こうはい》から甘えられたときに、「こういうのっていいやじゃない、むしろかわいいな。それなら自分も人に甘えてみてもいいかもしれない」と思えるようになりました。それからは人との関わり方も深まっていき、仲間の輪にも思いっきり入れたような気がします。おかげで大学生活を心から楽しむことができました。

いきおい、アルバイトもやってみようと思いたち、大手スーパー、ショッピングモール内のアパレル系店舗《てんぽ》、個人経営の飲食店と、さまざまなジャンルの面接にチャレンジしてみました。けれど、どこも私の見た目に、特に髪の色に難色を示し、採用されることはありませんでした。

見た目のことでこのような扱《あつか》いを受けるという現実の壁《かべ》にぶつかり、私はとても落ちこみました。そして、無性《むしょう》に腹が立ったのです。「ショッピングモールの規定があるから採用できない」とか「髪を染めれば雇《やと》える」みたいなことを言われたのですが、要は面倒なことに関わりたくなくて逃げているだけじゃないかと、はじめて直面した露骨《ろこつ》な差別的な扱いに怒りがこみ上げました。

でも、友だちには「バイト落ちちゃったよ、ハハハ」と軽く言っていました。落とされたという事実も、それに対して文句を言うのもかっこ悪いと思ってしまったからです。それに、ほかの「見た目問題」当事者の人たちはもっと苦労しているだろうという、後ろめたさみたいなものもありました。

中学高校は自分のことで頭がいっぱいでしたが、大学になって人間関係が深まり、視野も広がってくると、ほかの症状の人たちのことが気になり始めました。彼《かれ》らと自分を比べて、きっと私よりも大変だろうと考えるようになったのです。就職でも、もっといやな思いをするのではないかと勝手に想像し、自分が経験した程度のことを主張するのは気が引けてしまいました。

結局、アルバイトは絶対にしなくてはならない差《さ》し迫《せま》った必要性もなかったし、断られたショックも大きかったので、それ以上踏《ふ》みこむことなく、そのままあきらめてしまいました。

そんな私は、あいかわらず自己肯定感の低い「こじらせ女子」ではありましたが、大学四年のとき、彼氏《かれし》ができました。

高校生のころから知っていた男の子で、すでに四年ほど友だちづきあいをしていた人です。彼の方から告白してくれたのですが、正直なところ、それまで私は彼を友だちとしか見ていませんでした。それに、「アルビノである自分は人を好きになる資格もないし、好かれるはずがない」という思いが強かったので、おつき合いをするかどうかとても迷いました。でも、はじめて告白されてうれしかったし、彼のことは友だちとしてはとても好きだったので、もしかしたらつき合ってみれば何か変わるかもしれないと思い、おつき合いを始めることにしました。

しかし、自分にまったく自信の持てない私は、私のことを好きだと言ってくれる彼の言葉を素直に受け入れることができませんでした。それどころか、好意を寄せられるということに自分の感情が追いついていけず、気持ち悪いとすら感じてしまったのです。そのうえ、「私なんかよりも、もっとほかにいい人がいるはずだ」という思いからもどうしても逃《のが》れられず、結局、一か月とたたないうちに彼にお別れを告げてしまいました。

四年間も友だちとしてよい関係にあったのに、いざつき合ったら一か月ももたないなんて、自分は恋愛《れんあい》には向いていないのだと落ちこみました。もしかしたら、私にとって恋愛は必須《ひっす》ではないのかもしれません。

人生が転換するとき

自身がアルビノであり、アルバイトを断られたという経験もあったので、大学の卒業論文では「見た目問題」を取り上げました。「見た目問題」とは何か、現状がどうなっているのかを文献《ぶんけん》を中心に調べ、まとめました。

ところが、文献に出てくる当事者の姿はあまりにも私とちがっていました。壮絶《そうぜつ》ないじめにあったり、世間からかくれるように生きている人もいたりと、悲惨《ひさん》なケースが数多くありました。同じ「見た目問題」当事者なのに、のほほんと暮らしてきた自分とのギャップがあまりにも激しく、自分がどれほど恵まれていたのかということを改めて思い知らされました。そして、「見た目問題」をもっとよく知りたいと思い、指導教官の勧めもあって、私は大学院へと進んだのです。

大学院では、とくに「見た目問題」当事者の子どもを持つ親の語りに焦点《しょうてん》を当てました。卒業論文をまとめるなかで、「見た目問題」に親がどう対処するかが、その子どもである当事者に大きく影響していることを感じたからです。

大学院での研究から見えてきたことは、患者会《かんじゃかい》に早くつながるほうが親は安定して子育てができるということでした。先輩の親御《おやご》さんたちから話を聞いたり、成長した当事者と会うことで、我《わ》が子の将来を想像することができるからだと思います。

また、当事者自身に「ありのままで、いいんだ」と思わせることが、いかに大事なことなのかということもわかりました。人とちがうことが劣等感につながらないよう、自己肯定感を高く保てる子どもに育てることはとても重要なのだと気づかされました。

研究を進めていくうちに、何人かの親御さんたちから「自分の親には聞かないの?」とたずねられることがありました。その都度、私は「客観性が保てないから」と言いわけをして、両親への聞き取り調査をさけていました。なぜなら、私は「アルビノにはふれちゃいけない。親も話したくないことなんだ」と受け止め、アルビノのことで親に質問したことはそれまで一度もなかったからです。

そんな状況《じょうきょう》だったので、両親に聞き取り調査を行うことは、私にとってまったく想定外でした。ところが、徐々《じょじょ》に自分の親にも話を聞かなければいけないかもしれないと感じるようになっていったのです。

あたり前かもしれませんが、当事者の親だからといって全員が同じ考え方をしているわけではありません。聞き取り調査を行った親御さんたちも、いろんなタイプの方がいました。はたして、私の父や母はどう思っているのだろうと、だんだん気になってきたのです。そして、調査が三分の二ほど進み、八~九人目くらいのときに、やっぱり自分の親にも聞いてみようと決心しました。

ところが、いざ両親に話を聞くとなるとなかなか踏ん切りがつきません。ちょうどそのころ、「見た目問題」についてテレビ番組で語る機会があったので、番組収録までに両親への聞き取り調査を終えておきたかった私は、意を決して話を聞いてみることにしました。

すると、どうしたことか、父も母もアルビノのことをあまり深刻にとらえていないことがわかりました。母は「由佳をアルビノとして産んだことは、特に気にならなかったよ。でも、強《し》いて悩みをあげるなら、小さな子どもに何度も検査を受けさせるのがかわいそうでつらかったことかな」と言い、父にいたってはほとんど何も考えていませんでした。

そう、「アルビノについてふれてはいけない」と思っていたのは、まるっきり私の勘《かん》ちがいだったのです。私はなぜあれほどまでに、アルビノについてふれてはいけない、親も話したくないはずだと思いこんでいたのでしょうか。

混乱しつつも私は自分なりに考えてみました。そして、「両親は患者会にも入っていなかったし、家ではアルビノのことがまったく話題にならなかったので、ふれてはいけないと思いこんでしまった。二人はどうして話をしなかったのだろうか」と不思議に思って、父と母に問いかけてみました。そうしたら二人とも「治療が必要なわけでも、命にかかわるわけでもない。工夫《くふう》しだいでなんとかなるのだから、わざわざふれないでもいいだろうと思っていた」と言うのです。

つまり、父も母も私がアルビノであることをたいして気にしていなかったので、患者会に入る必要はなかったし、そもそも話題にするという発想自体がなかったのです。長い間ずいぶんこじらせてしまいましたが、結局は私のひとり相撲《ずもう》だったというわけです。

私は拍子抜《ひょうしぬ》けするとともに、なんだか両親に対して申しわけない気持ちになりました。両親にインタビューしたとき、「普通に」という言葉が何度も出てきたのですが、両親が言うには、アルビノであることを私があまり気にしないように、普通に育ててきたそうです。私を気づかってくれた父と母の想《おも》いが言葉の端々《はしばし》から感じられました。それなのに私は、親の気持ちに気づくことなく、アルビノであることにとらわれ、人とのちがいを気にしてばかりいたのです。

父や母の求めた「普通の生き方」に私はハマってあげられなかった。そのことをとても申しわけなかったと思っています。ただ、その一方でやっぱり「普通なんて存在しない」とも感じています。一〇人いれば一〇通りの人生があるのだから、それぞれが自分の生き方に納《なっ》得《とく》できればそれでいいんじゃないか、と。

ただいま、脱皮《だっぴ》中

研究を通して私は、知らぬ間に自分でつくり上げていた「負の感情」と向き合うことができたし、両親の本音にもふれることができました。それは、それまでの私の考えを一八〇度変えてしまうほどの衝撃でした。

今にして思えば、ひょっとしたら私はそれが知りたくてこの研究テーマを設定したのかもしれません。遠回りしたけれど、結局のところ、はじめから自分の親に聞きたかったのではないかと思ったりもしています。

私が聞き取りをした親御さんたちも私の両親も、我が子が「見た目問題」の当事者であることを嘆《なげ》いたり、そういう子どもを生んだことを後悔《こうかい》したりしていませんでした。治療や見た目に対する差別など、子どもにしんどい思いをさせてしまっていることに心を痛めていても、子どもの存在をありのままに受け止め、その生き方を尊重していました。生まれたときはおどろいたけれど、子どもの成長にともない親なりに工夫をして最善を尽《つ》くす。そんな彼らの生き方に、私は自分の存在を全肯定されたような深い安堵《あんど》感《かん》を覚えました。と同時に、その潔《いさぎよ》さに大いに感銘《かんめい》を受けたのです。

とはいえ、取材を快く引き受けてくださったみなさんなので、そもそもポジティブに考えられる人たちばかりなのかもしれません。早い段階で患者会につながっていたり、周囲の理解もあるなど運がよかっただけなのかもしれません。きっとなかには、身近に協力してくれる人がなく周りの理解も得られずに、我が子がアルビノであることを思い悩んでいる人たちがいることと思います。だから、私は当事者の親たちのほんの一面しか見ていないのかもしれないけれど、この親御さんたちに出会えたおかげで、「親になる経験も楽しいかもしれない」と思えるようになりました。

そして、もうひとつ大きな変化がありました。一度当たって砕《くだ》けてしまったとしても、また立ち上がり、次に進めばいいと考えられるようになったことです。

大学院生になるまでの私はあまり自己主張せず、まわりの流れに合わせるように生きてきました。流行りのものを身に着け、理不尽なことがあってもただがまんしてきました。大学でもみんなが資格取得を目指していたので、みんなに合わせて勉強していたら私も資格が取れました。

ところが、大学院ではそうはいきません。自ら研究テーマを決め、一面識もない患者会に連絡《れんらく》をとり、自分が何者なのか、どんな目的をもって研究しているのかを説明しなくてはならないのです。調査依頼《いらい》を受け入れてくれるところもあれば、断られることもありました。

拒否《きょひ》されることは、最初はすごくショックでこわかった。でも、三回、四回と断られていくうちに「むこうも事情があるだろうし仕方がない、次に行こう」と思えるようになったのです。

　アルバイトを断られたときはそれ以上ぶつかるのをあきらめてしまいましたが、研究はやめるわけにはいきません。そうこうしているうちに、人からきらわれることを極度に恐《おそ》れていた私は、断られても大丈夫《だいじょうぶ》だと思えるようになりました。研究の過程を通して、わかってくれる人は必ずいるし、ありのままの私でいても気の合う仲間は必ず見つかるということを実感できたからです。

　最近は、知り合った当事者さんたちと連絡を取り合い、飲みに行ったりしています。アルビノの人もいれば、ほかの症状の人もいます。人とちがうということでどれほど悩んできたのかを、あらためて言葉にしなくても共感しあえる仲間との出会いは、私の心に余裕《よゆう》を与《あた》えてくれました。その余裕のおかげで、人とはちがうという痛みを経験していない人たちともより深く、より豊かに関係を築けるようになれた気がしています。

　ところで、先ほどのテレビ番組では、私が「こんな私が幸せに恵まれていてはいけない」と言うシーンが放送されました。それを見た母親は「あんなふうに思っていたの？」と何度か私に聞いてきたので、そのたびに私は「今はそう思っていないよ」と答えました。けれども、自尊心はまだまだ低く、「そうはいっても、私はアルビノだし……」なんて思ってしまうこともたまにあります。
それでも、何事にも前向きになりはじめている自分を今は楽しんでいます。

【神原さんの話を聞いて】

アルビノはその真っ白な見た目から、うらやましいとさえ言われることがあります。私もアルビノの人たちをとてもキレイだなと思うことがあります。メディアでは、「気持ち悪い」「バケモノ」と心ないことを言われるほかの症状の人たちが取り上げられることが多いので、「見た目問題」当事者のなかでは恵まれているように見られがちです。そのことがアルビノゆえの困難をより複雑にしています。

見た目のちがいによるひどい差別や偏見《へんけん》を受ければ、誰が見ても困難なのは明らかです。ところが、神原さんのように、それほど否定的な扱いを受けていない場合はその困難は見えづらく、ともすると困難など何もないかのように思われてしまいます。

アルビノは、その見た目の印象からぶつかる困難を想像するのは容易ではありません。

一見すると、個人の気持ちの持ちようで乗り越《こ》えられそうです。しかし、日本には顕著《けんちょ》な同調圧力のようなものがあって、とにかく「みんな同じ」であることがよしとされ、具体的ないじめはなくても、まわりと少しでもちがうところがあると浮《う》いた存在になってしまいます。

そもそも人とちがうということで自分を追いこみ、自信をなくしてしまうような環境自体が問題なのであって、彼ら・彼女らは本来しなくてもいい苦労をしている状態であるとも言えます。学校生活で感じる孤独《こどく》を和《やわ》らげたり、アルバイトや就職活動の支援《しえん》をしたりするなど、まわりがサポートすることで解決できる問題もあるはずです。

神原さんが幼いころから「たしかに人とはちがうけれど、私もみんなの仲間だ」と感じることができたなら、こんなに悩むことはなかったのではないかと思います。

言わなくてもいい

人物ファイル3

村下優美《むらしたゆうみ》さん

(30歳《さい》　会社員)

症状《しょうじょう》：ロンバーグ病
(進行性顔面片側萎縮症《へんそくいしゅくしょう》)

【症状解説】 ロンバーグ病(進行性顔面片側萎縮症)顔の片側の皮膚《ひふ》や筋肉、骨が徐々《じょじょ》に萎縮していく。痛みなどはない。原因は不明で、発症《はっしょう》時期もさまざまだが、長期に進行するケースが多い。幼少期に発症した場合、身体の成長が止まるころに進行も落ち着くと言われている。

【私から見た村下優美さん】

「新聞で掲載《けいさい》されているのを見ました」と村下さんから連絡《れんらく》をもらったのは、今から九年ほど前。マイフェイスの活動が徐々《じょじょ》に知られるようになったころでした。当時は大学生だった村下さんが、緊張《きんちょう》した面持《おもも》ちで事務所の入り口に立っていた姿を思い出します。まだ高校生のようなかわいらしさと、幼いころから「見た目問題」と向き合ってきた気概《きがい》を感じさせる大人びた雰囲気《ふんいき》が入り混じっていました。

今ではIT関連の会社でバリバリ働いている彼女は、おだやかで知的な雰囲気のなかに、こうと決めたらやり通す芯《しん》の強さと、臨機応変《りんきおうへん》に対応できる柔軟《じゅうなん》さの両方を持ち合わせています。

村下さんはロンバーグ病という症状を持っていて、顔の左側、こめかみの上から耳のあたりまで、はっきりわかるほどにへこんでいます。ロンバーグ病は日本には一〇〇人ほどしかいないのではないかと言われているほどめずらしい病気なのですが、以前、村下さんが運営していた「ロンバーグの日々」というウェブサイトは、ロンバーグ病の人たち同士がつながることのできる貴重な場となっていました。

誰《だれ》にでも人には言いたくないことやあまり知られたくないことがあります。特に好きな人には、絶対に知られたくない。けれど、嘘《うそ》をつくのもいやだし、ありのままの自分を見てほしいとも思います。心はゆれ動くものです。

「見た目問題」には、症状が服でかくれる部分にあったり、脱毛症《だつもうしょう》のようにカツラを着けていたりすれば、人にはわからない場合もあります。それでも、「バレるんじゃないか」とビクビクしたり、カミングアウトをする（人に知られたくないと思っていることを告白する）タイミングに悩《なや》むことも少なくありません。

その一方で、顔などのぱっと見てわかるところに症状がある場合は、かくすことができません。だからといって、相手には「顔に症状がある」ことがわかるだけで、どのような病気なのか、なぜそうなったのかなど詳《くわ》しいことまではわかりません。

では、当事者の方は、いつ、どんなタイミングで、どこまで相手に説明したらいいのでしょうか。

村下さんのお話

❀「普通《ふつう》」とはちがう顔に

私は四歳でロンバーグ病を発症しました。はじめは左のこめかみのあたりに違和感《いわかん》があるだけだったのですが、だんだんと色素が薄《うす》くなってきて、へこみ始めました。その後も中学生のころまで症状が進行していって、最終的にはこめかみの上から耳のあたりまで、ベコッとへこんでしまいました。とくに痛みはありません。

子どものころから「自分の顔は普通とはちがう」と思ってはいました。でも、いじめられることもなかったので、あまり気にしていませんでした。症状があることで恋愛《れんあい》に前向きになれないなんてこともありませんでした。というのも、「手術をすれば治る、普通の顔になれる」と信じていたからです。

中学生になっても基本的には考え方が変わることはありませんでした。そのころは、むしろ制服のスカートの長さのほうに関心があるくらいで、症状についてはほとんど気になりませんでした。いずれ治るものなのだから、くよくよ悩む必要がないとすら思っていました。

幸いにも、高校生になると症状の進行が止まったので、手術をすることにしました。体の別の場所から脂肪《しぼう》を移植《いしょく》して、へこんでいる部分を膨《ふく》らますというものです。

ところが、脂肪がうまく定着せず、結果的に手術は失敗し、顔もへこんだままでした。そして、医者から「これ以上治療をしてもあなたが思い描《えが》いているようには治らない。へこんだ部分はこのままで、顔が左右対称《たいしょう》になることはない」と言われてしまったのです。

この顔のままでずっと生きていくしかない。このとき初めて、私は自分の見た目を意識するようになりました。

へこんだ「顔」と向き合って

手術の失敗という現実をつきつけられ、私はずっと後悔《こうかい》していました。私の病気はめずらしいので、ほかの医師を探すというのは現実的ではありません。それでも、もっとできることがあったのではないか、手術をやめることもできたのではないかと落ちこんでいました。

その後悔の気持ちから何とか抜《ぬ》け出したくて、失敗のままで終わらせたくないと考えるようになりました。「失敗から学んだ」と思いたかったのです。この経験をいかさなくてはいけないと考えました。

けれど、へこんでいるこの「顔」とどう向き合ったらいいのかもわかりません。そこで、まずは自分と同じような症状を持つ人とつながろうと思い、高校三年生のときにインターネット上で掲示板《けいじばん》を立ち上げました。

その掲示板で、はじめてロンバーグ病の人たちと交流したのですが、同じ症状でもさまざまな経験や考え方があることを知り、あらためて病気について考えるきっかけとなりました。また、大学進学を機にひとり暮らしをはじめたことで自分と向き合うことが多くなり、それにともなって病気についてあれこれ考える時間も増えていきました。

大学ではほぼすべて初対面の人たちばかりです。こちらから言わなければ見た目の症状には気づいても、それが病気なのか何なのか相手にはわかりません。私はまず、どう説明したらいいのかと考えこんでしまいました。「そもそも症状のことを言うべきなのか、言うとしたらいつ、誰に、どんなふうに言えばいいのだろう。手術は失敗しているということも伝えたほうがいいのだろうか」と。

今にして思えばそんなにあせらずに、まわりの人たちとのつき合いのなかで、自分なりの方法を時間をかけて見つければよかったのです。でも、失敗から学ぶことに必死になっていた私は、何か成果らしいものを見いだしたくて、ますます思い悩むようになりました。

そんなころ、偶然《ぐうぜん》新聞記事でマイフェイスのことを知り、連絡をとりました。掲示板は引き続き運営していましたが、もしかしたらマイフェイスにもロンバーグ病の人がいるかもしれないと思ったからです。悩みが深くなる一方だった当時の私は、少しでも答えにつながるようなものを求めていました。

つき合う前に話す？

そんなふうに人に自分のことをどう説明したらいいのか悩んでいた私ですが、やはり、一番悩んだのは恋愛です。もし好きな人ができたら、いつ、どんなタイミングで、どんなふうに伝えたらいいのかと悩んでいました。おかしな伝え方をしてきらわれたらいやだけど、黙《だま》っているわけにもいきません。

じつは、社会人になったころ、私は病気のことを伝えるタイミングを逃《のが》したまま、ある男性と親しくなることがありました。その経験から、「絶対に病気のことを伝えなくてはいけない」というわけではないと気がついたのですが、その後、好きな人ができたときにはまた、いつ病気のことを話そうかと悩んでいました。

そのころ私は、マイフェイスを通じて知り合った人たちのなかで、三人の女性ととくに仲良くなっていました。四人ともそれぞれ症状がちがっていて、生まれつきの人もいれば、私のように途中《とちゅう》で病気になった人もいます。ただ、年齢《ねんれい》も近く、なんだかとても気が合ったのです。最近はおたがい仕事がいそがしくなったり、結婚《けっこん》して子どもができた人もいたりして、なかなか会えなくなってしまいましたが、当時はよくおたがいの家に遊びに行ったり、飲みに行ったりしていました。

あるとき、いつものように四人で会って話していたときに、恋愛の話になりました。症状はちがっても見た目に症状を持つ者同士、恋愛について同じような悩みを持っています。そこで、私は常々悩んでいた「自分の症状について伝えるとき、どうしているのか」ということを聞いてみました。

すると、みんなそれぞれつき合う前に話した場合もあれば、結局話さなかったときもあったりとさまざまでした。

そのうちひとりから、「つき合う前に話さなくちゃいけないって、マジメすぎるんじゃない？　おたがいが好きになってから話せばいいんじゃないかな。好きになる前に話しちゃうと、あなたのいいところも見えなくなっちゃうよ」と言われたのです。

「なるほど、そんな考え方もあるんだ」とおどろきました。私はそれまで、ありのままの自分を知ってもらったうえで好きになってもらわなくてはいけないと信じていましたし、みんなそうしているものだと思いこんでいましたから、これは新鮮《しんせん》なおどろきでした。

✤事前に伝える義務はあるのか？

今にして思えば、そうまでして病気のことを事前に話しておかなければいけないと思っていたのには理由がありました。

症状は自分にとっては顔のつくりの一部ですが、一般《いっぱん》の人にとっては病変部（病気によって変化した部分）です。生死にかかわることではないけれど、健康な状態でもない。自分のなかでどこかマイナスに思ってしまうこともあって、必ず事前に申告《しんこく》しないといけないものと考えていました。

そして、もうひとつの大きな理由があります。それは「刷《す》りこみ」です。たとえば、学校に入るときには先生に伝えてきたし、健康診断《しんだん》でも風邪《かぜ》で病院にかかったときでも、まずはじめに医師に症状のことを申告します。幼いころから親もずっとそうしていましたし、私も疑問に思うことなく、そうしてきました。まさに「刷りこみ」みたいなものです。

それに、誰からも「言わなくてもいいんだよ」と言われたことはありません。みな私からの事前申告をあたりまえのように聞いていました。だから、大切な人であればあるほど事前に伝えるのは義務だとすら感じていたのです。

自然なタイミングで話そう

今はもう、この「どう伝えるか、いつ伝えるか」ということをそんなに深刻には考えていません。たしかに、自分が症状を持っていることは事実ですし、手術は人生の転換期《てんかんき》というくらいに大きなできごとでした。でも、それは、高校受験や大学受験のエピソードと同じくらいの感覚でいいんじゃないかと思えるようになりました。

どういうことかというと、たとえば、「この学校は第二志望だった」と本人が言わなければまわりは知りません。言いたければ言えばいいし、まわりもそれを知ったところで「へえ、そうなんだ」と単なる事実として受け止めるくらいの反応だと思います。病気のこともそういうエピソードと同じようにとらえています。

それには、症状を持つ人たちと出会い、語り合ったことで柔軟に考えられるようになったということもありますが、社会に出てさまざまな経験を積んだことで、自分を客観的に見ることができるようになったことも大きいと思います。頭で理解したというより、自然にそう感じられるようになったのです。

そして、恋愛においても、「おたがいが好きになってから言えばいいか」と、そう考えられるようになったらすごく楽になりました。

これからの未来、もしおつき合いする方と結婚にいたるようなことがあれば、自然なタイミングで話せればと思っています。


【村下さんの話を聞いて】


村下さんの「刷りこみ」という言葉を聞いて、私はとてもショックを受けました。なぜなら、私はこれまでの活動のなかで、どちらかというと周囲の人たちに自分の症状について事前に説明しておくことを勧《すす》めてきたからです。とくに、学校や職場など長期間の関係が始まる前には、人間関係をスムーズにするためにある程度伝えておいた方がいいと話してきました。

こと恋愛に関しては私自身、「ありのままの自分を知ってもらったうえで、好きになってもらったほうがいい」と思っていました。見た目の症状のことだけではなく、性格や人となりなど、どれだけ素《す》のままの自分を見せられるかが、その人への好意の度合いのように考えてきました。

けれど、もしかしたらそれも「刷りこみ」のようなもので、私自身が勝手にそのことに束縛《そくばく》されているだけかもしれない。そんなふうに、村下さんの話を聞いて気がつくことができました。

もちろん、事前に伝えることで誤解や偏見《へんけん》を生じさせないというメリットはあります。ただ、こうした「刷りこみ」によって、行動や思考に制限を設けてしまうデメリットについても考える必要があることをあらためて強く感じています。

人とのつながりで、自分を取り戻す

人物ファイル 4

町山満男《まちやまみつお》さん（仮名）
（48歳《さい》　会社員）
症状《しょうじょう》：全身型円形脱毛症《だつもうしょう》

【症状解説】円形脱毛症
通常、髪《かみ》の毛が円形に抜《ぬ》けてしまう症状だが、頭部全体や全身の体毛も抜けてしまう場合がある。本来はウイルスや病原菌《きん》から体を守る役割を果たす血液中のリンパ球が、毛根を異物として誤って攻撃《こうげき》することで脱毛を引き起こす自己免疫疾患《めんえきしっかん》と考えられている。ストレスや疲労《ひろう》などが引き金になったり、症状を悪化させたりするといわれているが、詳細《しょうさい》は不明。人口の一～二％に発症《はっしょう》すると言われ、日本には患者《かんじゃ》が一二〇万～二五〇万人いると推測される。

【私から見た町山満男さん】

マイフェイスを設立したばかりの二〇〇七年ごろ、数か月に一回、小さなお茶会を事務所で開いていました。そのお茶会に恋人《こいびと》を連れてやってきたのが町山さんです。口数はけっして多くはないけれど、人当たりのよさそうな好青年。それが彼《かれ》の第一印象でした。

町山さんは出版社に勤務しながら、患者会活動にも積極的に関わっています。みんなから「ミッチー」と呼ばれ、アニキ的な存在の町山さんですが、幼いころから全身の体毛が抜けてしまうという全身型円形脱毛症を患《わずら》い、自分は人とちがうと悩んでいたそうです。

親しい友だちもできず、大学在学中には数年間もひきこもり生活をしていました。

学校や会社に行かない「ひきこもり」という状態の人たちがいます。内閣府の二〇一五年度の調査では、日本には一五～三九歳のひきこもり当事者が五四万人以上いるとされています。

「見た目問題」の当事者のなかにも、ひきこもり経験のある人は少なくありません。学校や職場でいじめや差別的な扱《あつか》いを受けたり、まわりの人たちの無理解な態度に傷つけられたりして、人と会うのがこわくなってしまうからです。

それでも、ひきこもりを抜け出し社会との関わりを取《と》り戻《もど》した人もいます。そこで、ひきこもりを経験した町山さんにお話をうかがいました。

町山さんのお話

人とのちがいを意識する

物心ついたときにはすでに、僕《ぼく》の頭にはほとんど髪がありませんでした。全身型円形脱毛症という病気で、頭だけではなく腕《うで》も足も、全身の毛がほとんどない。生後六か月で発症したそうです。親はなんとか治してやりたいと、僕をあちこちの医者に連れて行きました。ほかにも、専用ブラシで僕の頭をたたいたり、赤外線を当てたり、マッサージや健康食品など、とにかく髪にいいと聞けばなんでも試《ため》していました。

僕には発症《はっしょう》前の記憶《きおく》はありません。だから、僕にとってはこれが普通《ふつう》のことでした。親も医者も、誰《だれ》ひとりとして僕に病気について説明してくれなかったので、子どものころは病気だとは考えず、こういう体質なのだと思っていました。

髪がない以外は健康なので、僕は地元の小学校に通っていました。さすがにそのころには自分は人とちがうと思っていましたが、僕自身病気について教わっていなかったので、クラスメイトにも何の説明もできませんでした。

幸いにも、クラスでいじめられたことはありません。でも、ほかのクラスの子や上級生、下級生たちから、登下校のときに「ハゲ」と言われたり、かぶっていた野球帽《やきゅうぼう》を取られて放り投げられたりしました。

あるとき母に、みんなからいじめられてつらいと泣いて訴《うった》えたことがあります。けれど、母からは「泣いてないでやり返せ。もっと強くなりなさい」と叱《しか》られてしまいました。そのうちに僕は「どうせ誰にもわかってもらえない。言ってもしかたがない」とあきらめ、平気なふりをするようになりました。

僕は学校から帰ると、いつも本を読んで過ごしていました。僕の生まれ育ったところは都会とはちがって、田んぼや畑がたくさんあります。子どもたちは元気に走り回って遊んでいましたが、僕はからかわれるのがいやだったし、外で遊ぶよりも本を読む方が好きでした。

そういうわけで、小学生のころは一緒《いっしょ》に登下校する友だちはいましたが、彼らととくに仲が良かったということもなく、なつかしい思い出もありません。

思春期を迎えて

本をたくさん読んでいたし、学校の勉強もできたほうなので、僕は中学受験をして私立で共学の進学校に入学しました。たまたま仏教系の学校だったので、校則で男子は坊主頭《ぼうずあたま》。おかげで僕の頭の症状もあまり目立つことはなく、ほっとしたのを覚えています。成績もよかったため、平穏《へいおん》な学校生活を送っていました。

ところが、高校二年生のとき、最大のピンチが訪《おとず》れました。校則が変わり、坊主頭が強制ではなくなったのです。男子生徒たちはいっせいに髪を伸《の》ばし始めました。特段いじめはなかったけれど、僕は自分の症状が目立ってしまうことがすごくショックで、このまま退学してしまおうと考えたほどです。

親に説得されて退学は思いとどまり、なんとか無事に卒業しましたが、早く地元をはなれたいという思いは強くなる一方でした。とにかく僕を知っている人がいないところへ行きたかったのです。

父は東京の下町生まれなのですが、人情があっていいところだと言っていたので、「そうだ、東京に行こう」と思い立ち、一年浪人《ろうにん》して東京の国立大学に入学しました。以来、東京の下町に住んでいます。生まれ故郷にあまりよい思い出がない僕にとっては、ここが故郷のようなものです。

僕は今はカツラを着けて日常生活を送っていますが、子どものころは着けずに生活していました。カツラを着け始めたのは浪人生になってからです。通っていた予備校は自宅から遠く、知り合いがいなかったので、カツラを着ければ脱毛症であることは誰にも気づかれません。目立たないってことはこんなに楽なのかと、他人の視線から解放されたときは本当に救われる思いでした。

その一方で、バレたらどうしようという不安とかくしごとをしているという後ろめたさから、人と親密になれず、表面的なつき合いしかできません。誰にも言えず、誰とも想《おも》いをわかち合えず、僕はずっと孤独《こどく》のなかで生きてきました。

ひきこもり、自分自身と向き合って

大学に入学して、僕は一人暮らしを始めました。生活のリズムを崩《くず》すことなく、大学にも無遅刻《ちこく》無欠席で通い続けました。しかし、人と深く関わることをためらっていたせいで友だちもできず、興味をそそられるようなできごとにも出会いません。生きていて楽しいと思えることは何もなく、すぐに死にたくなってしまう。そんな学生生活を送っていました。

そして、四年生のある朝、いつものように大学に行こうとしたら突然《とつぜん》、一歩も部屋から出られなくなってしまいました。無理やり出ようとしても心臓がバクバクして、苦しくて動けません。

そこから長いひきこもり生活が始まりました。

今にして思えば、いろいろなことが積み重なった結果だったのでしょう。小学校からひたすら真面目にがんばってきた疲《つか》れ、田舎《いなか》からたったひとりで出てきた心細さ、心からつき合える友だちがいないさびしさ、そんなことすべてがのしかかってきて、心が限界を超《こ》えてしまったのだと思います。

親からの仕送りで何とか生き延びていましたが、ひきこもっていた時期、食事には本当に困りました。とにかく一日一回、決死の覚悟《かくご》で近所のコンビニへ行き、食べるものだけをさっと買って、わき目もふらずに帰ってくる。そして時々は、必要最小限の範囲《はんい》で本屋の心理学コーナーと、実家からの仕送りを引き出すために銀行のATMにも行っていました。部屋を出るのはそのときだけです。あとはずっとひきこもって本ばかり読んでいました。

そのころ、すぐに死にたくなるのは心がどこかおかしいからではないかと思っていたので、解決策を見つけようと心理学の本を読みあさりました。もともと本が好きだったということもあって、最終的には関連書を二〇〇冊くらい読んだと思います。結局のところ、ほとんどの本に「精神科を受診《じゅしん》しよう」と書いてあったので、勇気を出して精神科へ行ってみたところ、「君にはカウンセリングが合っていると思うよ」と勧《すす》められました。

一般的《いっぱんてき》に精神科では、医学的な診断《しんだん》の後で薬物などを使った治療《ちりょう》を行います。他方カウンセリングでは、ゆっくりと時間をかけて対話を通して問題と向き合い、心のなかを整理していきます。医師の勧めもあったので、僕は大学に併設《へいせつ》されているカウンセリングルームへ行くことにしました。

カウンセリングで何かが劇的に変わったということはありません。ただ、あてもなく話を聞いてもらえたことと、自分自身を深く見つめる作業とが僕には合っていたようで、心は少しずつ落ち着いていきました。でも、それでひきこもりから抜け出せたわけではありません。

そうしてひきこもり続けていた二三歳のある日、偶然《ぐうぜん》テレビに脱毛症の当事者が出演していたのを見ました。僕はそこではじめて「脱毛症」という病気があることを知ったのです。

そのとき、「ああ、自分は病気だったんだ」と妙《みょう》に納得《なっとく》できたことを覚えています。

そして、「病気なら治せるはずだ、治りさえすればすべて解決する」と考え、中学生のころに勉強がいそがしくなって中断したままだった治療を再開し、積極的に受けるようになりました。

液体窒素《ちっそ》（ドライアイス）を塗《ぬ》る、ステロイドを塗る、ステロイドを飲む、人工の紫外線《しがいせん》を浴びるなど、さまざまな治療を試しました。結局、二〇代後半はずっと治療をしていましたが、効果はほとんど出ませんでした。そのうちだんだん治療をあきらめるようになるのですが、それとともに、しだいにほかの脱毛症の人たちはどうしているんだろうと気になるようになっていきました。

患者会との出会い

大学も辞《や》めてしまおうと思いましたが、またも親の説得があって、留年や再入学（休学が長かったためいったん退学し、教授会の審査《しんさ》を経て再入学となりました）などを経て、一〇年近くかけて卒業することになります。その間、カウンセリングや脱毛症の治療を受けながらも、僕はあいかわらず家にひきこもり続けていました。

そんな二九歳のある日、テレビで脱毛症の患者会があることを知り、行ってみることにしました。カウンセリングを受けるなかで、同じように脱毛症で悩《なや》む人たちと知り合わないと何も解決しないと気づいたからです。

カウンセリングで、病気のことや大学に通えない、かといって働くこともできないひきこもりのこと、人生の展望が見えない苦しさなどいろいろなことを話していくうちに、心のなかが整理され、自分が何を求めているのかに気づいたのです。

当時の僕は、心で「さみしい、僕はたったひとりぼっちだ」と叫《さけ》んでいました。あまりにも孤独で、生きていくのがこわかった。だから、みんながどうやってこの恐怖《きょうふ》を乗り越《こ》えているのか知りたいと思ったのです。

長い間ひきこもっていた僕は、ふるえながらもなんとか勇気をふりしぼって交流会の会場へ入っていきました。それまで自分以外の脱毛症患者と会ったことのなかった僕は、そこでとても不思議な体験をしました。生まれて初めて「ここにいていいんだ」という安心感に包まれたのです。

その交流会には、三〇名ほどの脱毛症患者が参加していました。同じ病気の人はどこかに必ずいると頭では理解していたものの、僕のまわりには誰一人いなかったので、たくさんの同じ症状の人たちを実際に見てすごくおどろきました。そんなことははじめての経験ですし、最初は雰囲気《ふんいき》に圧倒《あっとう》されていました。

ドキドキしながら自己紹介《しょうかい》をして、自分の症状や子どものころにいじめられたことなどを少しずつ話しているうちに、「もうかくさなくていいんだ。ここでは本当の気持ちを言っていいんだ」と、やっと自分の居場所を見つけたという思いに満たされてゆきました。

ずっと孤独だと思いこんでいたけど、想いをわかち合える仲間がいる。僕はひとりじゃない。インターネットのつながりだけでは感じられない、リアルなつながり。その喜びはとても言葉で言いあらわせるようなものではありません。

そして、今

患者会の事務局を手伝ったり、仲間といろんなことを語り合ったりしながら、少しずつ社会との関わりを取り戻していった僕は、やがてひきこもり生活から抜け出すことができました。

アルバイトやいくつかの仕事を経て、現在は出版社で編集の仕事をしています。編集の仕事を選んだのは本が好きということもありますが、編集者には黙々《もくもく》とひとりで作業をするイメージがあったからです。ひきこもりから抜け出したとはいえ、やはり人づきあいは苦手でした。

その後もいやなことやつらいことはあったけれど、僕が再びひきこもりにならなかったのは、まちがいなく同じつらさを知っている仲間との出会いがあったからです。彼らと会って話しているだけでも元気をもらいます。夜通し飲んだり旅行に行ったりと、まるで遅《おく》れてきた青春を楽しんでいるみたいな気分です。そうしているうちに、本来の自分を取り戻し、生きることが楽しくなったのだと思っています。病気を治すことに必死になっていたころには想像もできないことでした。そして、縁《えん》あって結婚《けっこん》をし、娘《むすめ》がひとりできました。

今では、症状はちがうけれど同じような経験をしている人たちともたくさん知り合いになりました。その人たちから新たな刺激《しげき》を受け、僕の人生はさらに広がっているように感じています。

【町山さんの話を聞いて】

高い教養と豊富な知識を持っていても、けっして他人を見下したり否定したりしない。真に優《やさ》しくて強い人とはそういう人ではないでしょうか。私が知る町山さんは、まさにそういう人です。きっと長い間孤独に苦しんだ経験から、人と人とのつながりの大切さが身にしみてわかるのかもしれません。

そして、カウンセリングで自分の心と向き合った経験からでしょうか、町山さんは人の話をよく聞いてくれます。脱毛症のことだけではなく、人生相談にもつき合ってくれる懐《ふところ》の深い人です。

町山さんは「とりあえず困難から逃《に》げてみる。そのうえで、よい流れには流されてみる」と言っていました。それは「一度は部屋から出られなくなってしまうほど病《や》んでしまったけれど、何が何でもひきこもりから脱《だっ》しようとはせず、大好きな本を二〇〇冊も読んでみたら解決のきっかけが見つかった」という実体験があったからなのかもしれません。たしかに、つらいときには無理をせず、動けるようになるまで休んでみるというのも選択肢《せんたくし》のひとつです。

町山さんの話を聞いて私は、「病を克服《こくふく》する」「逆境に立ち向かう」というのもいいけれど、「病を受け入れて、ともに生きる」という生き方も時には必要だと感じています。

人物ファイル5

西村八重《にしむらやえ》さん(仮名)
(33歳《さい》　特別支援《しえん》学校勤務)
症状《しょうじょう》：小耳症《しょうじしょう》

【症状解説】小耳症

胎児期《たいじき》に耳の形が完全にできあがらなかったため、生まれつき耳が小さい症状を言う。痕跡的《こんせきてき》な耳たぶしか残っていない程度から、耳の上部だけが縮まったようになっている程度のものまで形態はさまざまである。難聴《なんちょう》となることが多い。原因は特定できず、基本的に遺伝性はない。正確にはわからないが、発生頻度《ひんど》は五〇〇〇人から一万人に一人程度と推定される。両耳に症状が出るのは小耳症の人のなかで一〇%程度と言われる。

「見た目」を気にしなくなったのは

【私から見た西村八重さん】

西村さんは心身に障がいのある子どもたちが通う特別支援学校の先生をしています。障がいのある子どもたちと真剣《しんけん》に、かつ楽しくつき合っていくことをいつも考えているとてもステキな女性です。

ニコニコとほがらかで、誰《だれ》にでも気軽に話しかける明るくチャーミングな女性。それが私の西村さんに対する第一印象です。今でもそれは変わっていません。ベリーダンスが趣味《しゅみ》だというので、一度おどっているところを見せてもらいましたが、体をしなやかにくねらせ、クルクルとまわりおどる姿にうっとりとしました。

西村さんの右耳は生まれつき、一般《いっぱん》の人の三分の一ほどの大きさでした。ぱっと見てわかるほど小さく、子どものころにはいじめにあったり、からかわれたりすることもありました。手術で「耳」をつくったあとも、「見た目」としての耳を気にしていたと言います。

ところが、ある人のおかげでいつしか見た目を気にしなくなり、自分が「見た目問題」の当事者であるという意識もうすれていきます。
そんな彼女をまさか私が傷つけていたなんて……。西村さんから話を聞くまでまったく気づきませんでした。

西村さんのお話

小さな耳で生まれて

私は生まれつき右の耳が小さく、通常の三分の一くらいの大きさしかありませんでした。生まれてすぐに「小耳症」と診断《しんだん》され、都内の大学病院を紹介《しょうかい》されました。病院の診断は「耳を普通《ふつう》の形にするには、患者《かんじゃ》本人の肋軟骨《ろくなんこつ》と皮膚《ひふ》を使って耳をつくる形成手術をするしかない。手術は耳の大きさが成長しきる一〇歳前後に行う」というものでした。そこで、一年に一回、定期的に大学病院に通い、経過観察をしながら耳が成長するのを待っていました。

小学校四年生となったとき、いよいよ手術を受けることになりました。同じように耳をつくる手術を受ける子どもたちが一〇人ほど同時に入院し一緒《いっしょ》に治療《ちりょう》を受けたのですが、同年代で同じ境遇《きょうぐう》の仲間たちと一緒ということもあって、わりと楽しく入院生活を送ることができました。

手術は全部で三回行いました。たしか六月ごろに始まって、最後の手術は春休みに終わったように覚えています。

一回目の手術は、耳をつくるのに使う皮膚を確保するための手術です。エキスパンダーというシリコン製の風船を右耳のすぐうしろの皮膚の下にうめこみました。その風船に数か月かけて生理食塩水を少しずつ注入し、皮膚をふくらませ、充分《じゅうぶん》にふくらんだら二回目の手術です。

二回目では、まず自分の肋軟骨をけずり出し、それを使って耳の形をつくります。そして、つくった耳の形の軟骨をふくらんだ皮膚の下に移植《いしょく》し、大まかに耳を形成しました。

三回目は、つくった耳たぶの修正などを行い、全体の形を整えました。これでやっと完成です。

この治療の間じゅう、ほぼ一年間、右耳には小さなお椀《わん》型の黒いプロテクターをずっと付けていなくてはいけません。学校にも付けたまま通っていましたが、それがすごくダサくてかっこ悪い。治療のためとはいえ小学校四年生の子どもだった私は、このプロテクターを付けて学校に行くのがいやでいやでたまりませんでした。

もともと私は学校にあまりなじめていませんでした。勉強以外の目的があいまいで、何となくまわりの雰囲気《ふんいき》を察しなくてはならないような集団生活が苦手なのです。だから、治療という目的が明確にあり、自分のすべきことがはっきりしている入院生活は、私にとって居心地のいいものでした。治療自体はけっして楽しいものではありませんでしたが、学校をさぼれたのもいい思い出になったのかもしれません。

そんな入院生活を送っているなかで、私はできることなら病院に関係した仕事をしたいと思うようになりました。ただ、血を見るのはいやだったので、「病院のなかで働けて、血を見ないで済む仕事はないだろうか」と考えました。そしていつしか、入院中の子どもたちのために病院のなかに設置される「院内学級」の先生になって、病気の子どもたちに勉強を教えたいと思うようになりました。

学校という場所

「院内学級の先生になる」という目標を持った私は、そのためには心身に障がいのある子どもたちが通う特別支援学校の教員免許《めんきょ》が必要であるということを知り、特別支援教育の教員養成課程がある大学へ進学しました。

でも、大学で学んでいくうちに、院内学級というのはかなり重篤《じゅうとく》な子どもたちもいて、意思疎通《いしそつう》が難しい場合もあるということがわかってきました。私はドラマで見たような手術がひかえていたり、病弱でちょっと元気のなかったりする子たちをはげましながら勉強を教えているイメージを思い描《えが》いていたのですが、現実はちがっていました。

それに、だんだんと特別支援教育そのものに関心を持つようになり、最終的にはそちらへ進むことにしました。今は特別支援学校の先生となり、知的障がいのある子どものクラスを受け持っています。

ところで、私の右耳は形が小さいというだけではなく、聞こえにくいという症状もあります。小学校一年生のとき、右耳が聞こえにくいことへの配慮《はいりょ》として、左耳で聞きやすいように、教壇《きょうだん》に向かって右端《みぎはし》の一番前の座席を指定されました。

ただ、そのクラスでは週ごとに一列ずつ座席を移動するという決まりがあって、そのままだと私もいずれ左端の最も聞こえにくい座席につくことになります。そのことに担任の先生はまるで気づいていなかったようで、私も決まり通りに移動することになり、聞こえにくい座席になる週もありました。

先生にしてみれば、私のような児童を受け持ったということだけでいっぱいいっぱいだったのかもしれません。でも、私には最初の座席指定は「きちんと配慮していますよ」というただのパフォーマンスにしか感じられず、あまり先生を頼《たよ》りにしませんでした。

他方、ちょうど耳の手術を受けていた小学校四年生のときの担任の鈴木《すずき》先生（仮名）は、私にとって信頼《しんらい》できて安心できる先生でした。母と同年代の女性で、さばさばしていて話し方も非常にわかりやすい人でした。

この時期は耳にプロテクターを付けた状態で学校に通っていましたが、クラスでいやな思いをしたことはありません。きっと先生が私の知らないところで、うまくフォローしてくれていたのだと思います。

私は鈴木先生が大好きでした。だからといって、それで先生になりたいと思ったわけではありません。むしろ自分が先生になったからこそ、四年生のときのクラスの雰囲気は鈴木先生が耳のことに配慮して築いてくださった環境《かんきょう》であり、そのおかげでいやな思いをせずに過ごせたのだと、今さらながら気づくことができたという感じです。

私にとって学校は「行きたくないけれど、行くべきもの」でしかなく、毎日のように母に「行きたくない」と言っていました。そんな私が学校の先生という仕事を選ぶなんて、人生は予測できないものだなあと思います。

いやなこともあったけれど

耳のことでいやな思いをしたこともありました。

私は小学校一年生の夏に、東京から埼玉《さいたま》へと越《こ》してきました。引っ越したばかりのころ、家の近くの団地で同じ学年の男の子二人に、耳のことを「ギョーザ」と言われて追いかけられたのです。私は走って逃《に》げ、花壇《かだん》の横にとめてある自転車の陰《かげ》にかくれました。でも、二人に見つかってしまい、自転車ごとけり飛ばされました。自転車が私のほうにたおれ、その下敷《じき》になるような形で私も花壇にたおれこみました。

今でもこのときのことは鮮明《せんめい》に思い出すことができます。もちろん二人の名前も忘れていません。ケガこそしなかったけれど、あまりにもくやしかったので家に帰ってから母に泣きつきました。母は私の気持ちをきちんと受け止め、男の子たちに対して怒《いか》りの感情をもってくれました。そして後日、「お父さんに話したら、最悪のときは引っ越そうって言ってたよ」と教えてくれました。

父は子どもと積極的に遊んだり、自ら思いを口にしたりするようなタイプではなかったので、私も受験のこと以外は、日常の相談話を父に持ちかけることもありませんでした。もっぱら母を通して父の存在を感じていたので、父が本当にそう言ってくれたのかどうかはわかりませんが、このときは「お父さんもお母さんも私の味方だ」と安心しました。

このできごとは悲しさ、くやしさ、みじめさなどのいろいろな感情から、数年間は親以外の誰にも言えずにいましたが、小学校四年生のときに人権作文に書きました。今となってはもう、書くことを決めた動機は覚えていませんが、「もうすぐ手術して普通の耳になればからかわれなくなる」という気持ちと、「鈴木先生に知ってほしい」という気持ちがあったのではないかなと思います。「ギョーザみたいな耳！　変なの!!」から始まる作文を私は涙《なみだ》で視界をにじませながら書きました。

作文の提出後に先生から呼び出されて、「この作文を人権作文のコンクールに出したいのだけどいいかな？」と聞かれました。男の子たちの名前や場所、時期など具体的なことはにごして書いた作文ですが、それでも本人たちにはきっと「僕のことだ」とわかってしまいます。「選ばれたらみんなの前で読むんでしょ？　そんなことしたら私泣いちゃうし、男の子たちにも書いたのバレちゃうからいやだ」と私は涙ながらに答えました。

すると鈴木先生は笑顔《えがお》で「先生は、西村さんはこんな気持ちだったってことをみんなに知ってほしかったんだ。でも西村さんの気持ちもよくわかった。だから残念だけど、この作文はコンクールに出さないね。こんなことがあったんだね。大丈夫《だいじょうぶ》、西村さんはよくがんばったよ！」と言って私の肩《かた》を力強くポンポンとたたいてくれました。

今、こうして過去のことをふり返る機会をいただいていますが、手術をしたこの年に鈴木先生が担任だったことは、本当に幸せなことだったと改めて思います。

それ以外にもいやなことを言われたり、からかわれたりすることはありましたが、「手術さえすれば普通の耳になれる」と教えられていたので、たとえいやなことがあってもそれまでの辛抱《しんぼう》だと思えばがまんできました。

ところが、いざ手術を終えると「どんな耳ができ上がったのだろう、失敗していたらどうしよう」などと心配で、数か月もの間、見ることすらできませんでした。医師に成功したから大丈夫だと言われ、なんとか見ることはできるようになりましたが、左右の耳を鏡で見比べてみるとやっぱり形や角度が左右でちがっていて、質感もどことなく違和感《いわかん》がありました。

私は、「思っていたほど本物じゃない」と落胆《らくたん》し、両方の耳を出して人に見せることに抵《てい》抗《こう》がありました。そこで、しばらくは髪《かみ》をおろして耳が見えにくいような髪型《かみがた》で過ごしていましたが、かなりの暑がりだった私は「ポニーテールにしたいけど、耳のことがみんなにばれちゃうからできない！」と家で文句ばかり言っていました。そんなとき母はきまって、「八重ちゃんが思っているほどみんなは見てないよ」とさとしてくれました。

とはいえ、母の言葉を素直《すなお》に信じることなどできません。「みんなにからかわれたら、お母さんのせいだ」などと悪態《あくたい》をつきながらもどうにか覚悟《かくご》を決めて、とりあえず一日だけポニーテールにして学校に行ってみることにしました。すると、本当に誰にも何も言われなかったのです。

私は「お母さんが言ったとおりだ。みんな見てないんだ」と納得《なっとく》し、それからは耳を出すことも平気になりました。大人になった今では人目はまったく気になりません。ポニーテールや耳が見えるおだんごのようなヘアアレンジも、気がねなく楽しめています。

中学生になってもあいかわらず集団生活は苦手で、人とのやり取りがうまくできず、学校も休みがちでした。それでも気の合う少数の友だちと仲良くしながら、なんとか学校生活を送っていました。基本的に今でも、友人は少数精鋭《せいえい》というスタンスです。

高校は女子校だったのですが、「一人ひとりが自分らしく、社会で活躍《かつやく》できる人に」という校風が私に合い、いきいきと過ごすことができました。片耳が聞こえにくかったわりには子どものころから歌っておどるのが大好きだったので、高校ではダンス部に入りました。

とくに仲のいい後輩《こうはい》がいて、ある日その子が家庭の悩《なや》みを打ち明けてくれました。そこで、私も右耳のことを包みかくさずその子に話したところ、「右耳がちょっとちがうなって、ずっと前から気づいていて、友だちとも「ちがうよね」って話していました」と言われたのです。それは私にとって、衝撃的《しょうげきてき》なできごとでした。

なにしろ、母から「みんな、そんなに見てないよ」と言われ、私もそう納得し、右耳のことは誰にも気づかれていないものと思っていたのですから。ところが、実際はそうじゃなかった。「気づいていたけれど言わなかっただけ」という人もいたのです。おどろいたのなんのって言葉《ことば》にできないほどでしたし、私ってなんて単純なんだろうとあきれもしました。

けれど、そのおかげで人間関係を築くうえで、見た目はたいして重要ではないと気づくことができました。もしかしたら、比較的《ひかくてき》目立たない症状だったからそんなふうに思えたのかもしれません。クラスメイトも部活仲間も耳の聞こえは気にかけてくれますが、耳の形なんか関係なく普通に接してくれましたし、大人になった今もそう実感しています。

患者会との出会い

患者会の存在は大人になってからＳＮＳのつながりで知りました。趣味とか好きなタレントとか、いろいろなコミュニティーを見ていたとき、ふと思い立って「小耳症」を検索《けんさく》してみたところ、ある小耳症の患者会がヒットしました。会の掲示板《けいじばん》でいろんな質問や意見が交《か》わされているのを眺《なが》めていたとき、偶然《ぐうぜん》オフ会が行われていることを知りました。それまでは小学生のころに一緒に入院した子たちにしか会ったことがなかったので、同じ症状を持つ新しい仲間と知り合いたいと、軽い気持ちで行ってみることにしました。

すると、これがすごくおもしろい。

たとえば、私は耳が聞こえにくいこともあって人とのコミュニケーションが苦手ですが、患者会では「聞こえにくい」という前提が共有されているので、話を聞きもらして多少とんちんかんなことを言っても、「聞こえなかったからもう一回言って」と何度もお願いしても、当たり前のこととして負い目を感じることなくその場にいられるんです。そんな空間はとても楽で、自分は人とのコミュニケーションが苦手だなんて忘れてしまうほどです。「どっちの耳が聞きやすい？」なんてこともさらりと確認しあえる。

でも、普段《ふだん》の生活ではこうはいきません。まず、「私は右耳が聞こえにくいので左側に話しかけてください」と説明し、相手がなんと言っているのか全神経を集中させます。とにかく、コミュニケーションをとるのにすごく労力が要《い》るのです。

それに、耳の形のせいでいやな思いをしたことも手術が大変だったことも、みんな同じように体験しているので、初対面なのにすぐに共感を抱《いだ》くことができました。なんだか、小耳症とアイデンティティがひも付いているような感じでした。

また、なかには相当努力しないと就《つ》けないような職業の人もいて、「小耳症でも、がんばればなんだってできる」ということにはげまされました。

こんなふうに別の地域で生まれ育ち、別の病院で治療をし、別々の時間軸《じかんじく》で生きてきた人たちが、「小耳症」という共通項《きょうつうこう》でつながって出会える。それはとても不思議な感覚で、新鮮《しんせん》な感動でした。

あらたな気づき

私は「小耳症に対しては手術で耳をつくる」という方法しか知らなかったのですが、じつは、手術などせずにエピテーゼという人工ボディーパーツを利用するという方法もあります。シリコンで人工の耳をつくり、それを人体用の接着剤《せっちゃくざい》ではり付けます。シャワーを浴びたくらいでは外れたりしません。

痛い思いをしなくて済むし、何か月もかけて皮膚をふくらませたり、一年もプロテクターをはめたりする必要もありません。それに、手術は失敗したらやり直しはきかないけれど、エピテーゼなら何度でもつくり直すことができます。私自身は手術したことを後悔《こうかい》していませんが、実際、手術でつくった耳に納得していない人も少なからずいます。

エピテーゼのことは患者会のつながりで知りました。ある当事者さんがエピテーゼをつくりに行くというので同行させてもらったのです。そこで、マイフェイス代表の外川浩子さんと出会いました。

当時マイフェイスでは、インターネットテレビで「ヒロコヴィッチの穴」という番組を毎週生放送していたのですが、このとき外川さんから「番組に出てみない？」と声をかけられました。この番組は「見た目問題」当事者がゲストとして出演し、外川さんと対談するというもので、そのゲストとして出演してみないかと誘《さそ》われたのです。

――正直言ってそのときはショックでした。なぜなら、自分のなかでは「見た目問題」はすでに過去になっていたからです。

耳の聞こえに関してはコミュニケーションが苦手なこともあって、未《いま》だに面倒《めんどう》だと思うこともあります。でも、見た目のことではもういじめられることもないし、人はそんなに気にしていないこともわかったので、自分のなかではとっくに決着がついている問題でした。

それなのに、外川さんに「見た目問題」当事者として声をかけられて、自分は今でも「見た目問題」の対象なのだと再認識したのです。手術をして耳をつくっても、誰からも耳のことを悪く言われなくなっても、私はずっと「見た目問題」当事者のままなのだと少し切なくなりました。

けれど同時に、見た目に症状がある人たちが生出演して自分のことを話す番組っていったいどんなものなのだろうと興味がわいてきました。当事者は何を語り、見ている人たちは何を感じ取るのか、と。結局、好奇心《こうきしん》が勝って私は番組に出てみることにしました。

一時間ほどの番組で、はじめは何を話せばいいのかとドキドキしていましたが、症状の説明や治療の話、いやな思いをしたこと、現在の仕事の話などをとりとめもなく話していたら、あっという間に時間が過ぎていました。

生放送の後、小耳症のお子さんがいるお父さんから「勇気をもらいました。娘《むすめ》も八重さんみたいな女性に育ってほしい」というコメントが寄せられて、とてもうれしかったのを覚えています。

番組出演を決めたものの、「私はもう見た目のことで悩んでいないけど、今すごく悩んでいる人もいる。それなのに興味本位で出てもいいのだろうか」と思っていたのですが、誰かのためになったとわかり、こういう貢献《こうけん》もありなんだと前向きにとらえることができました。当事者であることで誰かを勇気づけられるなんて、「見た目問題」と向き合ってきた人生がそういう役にも立てるんだとうれしかったのです。

そして、外川さんに声をかけられて、自分が「見た目問題」の対象であることにショックを受けたのをきっかけに、なんでこれまで耳の形のことを気にしないでこられたのだろうとあらためて考えてみました。

思えば、母は「まわりはそんなに見ていないよ」と言い、「もしも何か言われたときは、よく見てくれていてありがとうって思えばいいじゃない。きっとその人は八重ちゃんのことが好きなんだよ」とはげましてくれました。私が「学校に行きたくない」と言えば、「そうだよね」と受け止めつつ、無理強《むりじ》いするわけではないけれど、さばさばと送り出してくれました。いつも私の味方でいてくれる、そんな母の存在が大きかったのだと思います。

もちろん、不安がまったくないわけではありません。やっぱり恋愛《れんあい》とか結婚《けっこん》となると、耳のことで選んでもらえないかもしれないと思うこともあります。

だけど、まわりとうまくなじめずに息苦しさを感じていた子どものころに、母から「大人になればもっといろいろな人に出会えて、もっと快適になる」と言われ、現にそのとおりになりました。職場、日ごろからの友人、そして、患者会を通じてたくさんの出会いがありました。

さまざまなバックグラウンドをもった人たちとつながってみたら、人はそれぞれいろんな問題にぶつかっているし、私だってこの先、良くも悪くも何が起こるかわからないんだと気づきました。私はたまたま小耳症で、小耳症だからこその苦労もあったけど、それもこれからの人生で起きる困難のための準備運動だったのかもとすら思っています。

見た目のことも聞こえにくいことも、夢も希望も不安も、予期せぬアクシデントも全部ひっくるめて、それが人生なんだと受け止めて、今は友人にも恵《めぐ》まれ、仕事でも時に楽しく時に悩みつつ、充実《じゅうじつ》した毎日を送っています。

【西村さんの話を聞いて】

いつ会っても笑顔いっぱいの西村さん。耳のこともまったく気にしていないように見えていましたが、お話を聞いてお母さんの影響《えいきょう》がとても大きかったことがわかりました。

彼女のつらさをいったん受け止めて、そのうえでソフトにさり気なくはげましていくお母さんの存在なしでは、今の彼女にはなっていなかったでしょう。

親がうまく導いたり、支えたりしてくれたことで前向きな人生を歩めている人はたくさんいます。自分の見た目をどんなふうに受け止めるのかは、当事者の思いや考えだけでなく、まわりの人たちの関わり方や考え方が大きく影響しています。西村さんも、「お父さんもお母さんも私の味方だ」と感じられて安心したと言っています。その安心感が力になって、見た目のことでいやな思いをするかもしれないとわかっていても、外の世界へ挑戦《ちょうせん》することができるのでしょう。

それにしても、まさか私に「見た目問題」当事者として声をかけられたことがショックだったとは、話を聞くまで微塵《みじん》も感じていませんでした。二〇年近く「見た目問題」の活動をしていても、こんなふうに当事者さんを傷つけてしまうことがあります。本当に申しわけないと思っています。

ただ、だからといって私は当事者たちとの交流をやめようとは思いません。たとえ傷つけてしまったとしても、関わり合っていくからこそ見える景色があるからです。

じつは、西村さんは今回の取材の際にこう話してくれました。

「当事者として声をかけられてショックを受けたことを浩子さんに打ち明けるつもりはありませんでした。一時の感情でしたし、結果的にこうしてマイフェイスとつながれて幸せですから。ただ、「見た目問題」当事者の経験したことや感じたことを素直に伝えていくことがこの本の目的のひとつかなと思ったので、今回は正直に当時の気持ちを打ち明けました」と。

私は活動を通して彼《かれ》ら・彼女らとよい関係を築いていくことがとても楽しいです。そして、そういう関係性の輪をどんどん広げていくことが問題解決にとって何より必要なことだと思っています。

症状はなくならないけれど

人物ファイル6

鹿島崇之《かしまたかゆき》さん

(41歳《さい》　司法書士)

症状《しょうじょう》：口唇口蓋裂《こうしんこうがいれつ》

【症状解説】 口唇口蓋裂
生まれつき上唇《うわくちびる》や上あごが割れている症状を言う。日本では五〇〇人に一人の割合で生まれると言われている。哺乳《ほにゅう》が困難なので、出生後、早くから外科《げか》手術をともなう治療《ちりょう》を開始する。また、鼻からのどへの空気の出入りがうまく調整できない、舌が上手に使えない等の理由で発声に支障が出ることもあるため、幼少期より言語聴覚士《ちょうかくし》による発声訓練などを受け、正しい発音を身につけていく。

【私から見た鹿島崇之さん】

普段《ふだん》から私は、「見た目問題」におけるさまざまな症状について調べています。二〇一一年のある日、インターネットで検索《けんさく》していたとき、「口唇口蓋裂のおはなし」というウェブサイトを見つけました(最終更新日《こうしんび》:二〇一三年七月二七日)。サイトの管理人は「鼻まゆげ」という、口唇口蓋裂の当事者男性でした。

鼻まゆげなんて、ちょっとふざけたハンドルネームではありますが、サイトの内容はいたってマジメです。しかも、症状に関する専門的なことが簡単な言葉で解説されていてとてもわかりやすい。当事者の思いだけにかたよることなく、客観的で冷静な視点で書かれているのもとても好印象でした。

私はさっそく「鼻まゆげ」こと鹿島さんに連絡《れんらく》をとりました。お会いしてみると鹿島さんは、司法書士事務所に勤務されているとのことでしたが、サイトの印象そのものの、とても知的でちょっとおちゃめな方でした。ちなみに「鼻まゆげ」というハンドルネームの由来を聞いてみましたが、「急に舞《ま》い降りてきた」そうです。どこまでがマジメで、どこからが冗談《じょうだん》なのか……。

「見た目問題」のなかでも比較的《ひかくてき》当事者が多いのが口唇口蓋裂です。新生児の五〇〇人に一人はこの症状を持って生まれてきますが、治療の技術が進んだおかげで、身の回りに当事者がいても気づかないこともあります。

ただ、口唇口蓋裂は発声や摂食《せっしょく》に問題がある場合も少なくありません。そのため、口唇口蓋裂の当事者のなかには見た目が人とちがうことではなく、ほかのことでコンプレックスを抱《いだ》く人もいます。

鹿島さんは他人からいやな思いをさせられたことはほとんどないそうですが、それでも自分の見た目や声に悩《なや》んでいました。

そんな鹿島さんは、どうやって自分らしさを見つけていったのでしょうか。

鹿島さんのお話

あるとき始まった生きづらさ

私は小学生のころは、どちらかというと活発な子どもでした。運動も得意で、クラスには友人もたくさんいました。口唇口蓋裂のせいで少し発音が悪いこともあり、話し方のマネをされるようなことはありましたが、ひどくいじめられた経験はなかったので、とくに生きづらいと感じたことはありませんでした。

受験をして中高一貫校《いっかんこう》に入学し、中学二年生まではそれまでとあまり変わらず、とくに悩むこともなく過ごしていました。

ところが、中学三年生になり成績によるクラス分けが行われると、それがきっかけでなんとなくすべてがうまくいかなくなりました。クラス替《が》えで親しくしていた友人たちみんなとはなれてしまったからだと思うのですが、もともと人づきあいはあまり得意ではないこともあって、新しい友人をつくることができませんでした。

毎回テストの成績が発表され、その都度、成績によってクラスが変わっていくという制度のせいか、クラスの雰囲気《ふんいき》にもなかなかなじむことができませんでした。何かに悩んでいたというよりも、何事もただ「うまくいかなくなった」という感じです。私は徐々《じょじょ》に人とコミュニケーションをとるのがおっくうになり、勉強もだんだんしなくなっていきました。

高校に入ってからは、思春期のせいもあって自分の見た目がすごく気になるようになりました。口唇口蓋裂の治療で上唇をくっつけた手術の傷痕《きずあと》が鼻の下にあります。鼻も少し曲がっていて、鼻の穴の大きさが左右でちがっています。その傷痕や鼻のゆがみが気になって仕方ありませんでした。毎日、鏡を横から見たりあわせ鏡にしたりして、曲がってるんじゃないか、ゆがんでるんじゃないかと確認していたほどです。

それに、声も気になっていました。自分の声を録音して聞き直したりしていましたが、すごくいやな声で聞き取りにくい。そんな見た目と声に対するコンプレックスで、ますます積極的に人と関わろうと思えなくなりました。いつしか他人がこわいとすら感じるようになっていったのです。

そんな高校生活を送っているうちに、私は大学は法律系に進み、司法試験を受けようと考えるようになりました。「この見た目と声ではまわりと比べて不利だ。世の中で対等にやっていくためには手に職をつけるか、資格を取ったほうがいいだろう」と考えたのです。父が司法書士だったということもあって、弁護士や裁判官になれたらいいなと漠然《ばくぜん》と思い描《えが》いていました。

でも、見た目と声に対するコンプレックスがあったので、キラキラしている雰囲気の大学には入りたくありませんでした。そこで、おとなしくてなるべく地味なイメージの大学を選んで受験しましたが、自分が本当に入りたかった大学には入れませんでした。

言いわけのように聞こえるかもしれませんが、高校時代は悩みが多くてあまり受験勉強に身が入らなかったのです。先生からは浪人《ろうにん》を勧《すす》められましたが、とにかく合格できた大学に入学しました。納得《なっとく》はしていなかったのですが、これ以上コンプレックスに苛《さいな》まれながら受験勉強をするのがいやだったのです。

記憶《きおく》のない大学生活

大学生になると自分の見た目と声に対するコンプレックスは、ますますエスカレートしていきました。

大学生活では、「つらかった」という記憶しかありません。友人もひとりもいませんでした。人が楽しんでいるのを横目で見ていいなとは思っていましたが、声をかける勇気もなく、友人をつくることから逃《に》げていました。なるべく人とは関わらず、授業をひとりで受け、ご飯もひとりで食べ、学園祭にも一度も行きませんでした。

今ふり返っても名前をおぼえている人がひとりもいないくらいです。民法のゼミに所属はしていましたが、ほとんど発言らしい発言はできませんでした。

こんな感じで大学の思い出はありません。記憶にあるのは大学二年生から始まった司法試験のための予備校通いくらいです。とはいえ、予備校でも友人がいたわけではなく、ただ週四日、いそがしく通っていただけでした。

むしろ、大学時代の一番大きなできごとは、二年生の春休みに受けた口唇口蓋裂の手術です。口唇口蓋裂の場合、上あごの成長が悪く下あごの方が前に出てしまう、いわゆる受け口になることが多くあります。そのため、上あごを前に出し、下あごを引っこめるというかなり大がかりな手術をするのですが、私の場合、手術時間は一二時間にもおよびました。手術の後は顔がパンパンに腫《は》れていました。

じつは、手術は全部で一〇回くらい受けているのですが、このときまでは、医師に言われるままにただ手術を受けるだけでした。ところが、ある看護師さんから「ちゃんと納得がいくまで先生に確認したほうがいいよ。自分の体のことなんだから」と言われ、ハッとしました。

私は自分の受ける手術なのに、まるで他人事《ひとごと》のように医師に任せっきりで、手術の内容すらよくわかっていなかったのです。医師を信頼《しんらい》しているといえば聞こえはいいですが、看護師さんから言われたことで、それはあまりにも自分に対して無責任すぎると気がつきました。

それからは手術の内容について何度も医師に確認し、疑問に感じたことはきちんと質問しました。自分なりに気が済むまで調べてから手術を受けたので、手術自体は納得感がありました。

ただ、受け口は治ったものの、鼻のゆがみや唇の傷痕がなくなるわけではありません。たしかに前よりはよくなったかもしれないけれど、まったく何もなかったようにはならない。いくら治療しても、「症状がない顔」にはならないのです。

見た目のコンプレックスはけっしてなくなったわけではありませんでした。

パニック障害

そんな手術も終わった大学三年生のころ、パニック障害を発症《はっしょう》しました。心配をかけたくないので親にはずっとかくしていましたが、人混みがこわくて教室に入れないし、電車にも乗れませんでした。

理由もわからず知識もなかったので、最初は普《ふ》通《つう》の内科に通っていたのですが、インターネットでいろいろ調べて、心療《しんりょう》内科にかかることにしました。そこではじめてパニック障害と診断《しんだん》されたのです。投薬治療とカウンセリングを続けていくうちに、それも落ち着いてきました。

その間もむりやり日常生活を送りながら、がんばって勉強し、なんとか大学も卒業できました。

そのまま就職活動はせずに司法試験の受験生として勉強を続けることにしましたが、ただ「受験生」という看板があるだけ。実家で暮らし、親に面倒《めんどう》を見てもらい、そのくせかくれてゲームをやったりしていました。実家暮らしをいいことにみんなと自分を比較することなく、自分のまわりだけのせまい世界にひきこもって安穏《あんのん》と過ごしていました。現実から目を背《そむ》けていたのです。両親はそんな私に何も言わず、そっとしておいてくれました。

そんな恵《めぐ》まれた環境《かんきょう》にいるにもかかわらず、勉強もちゃんとしていなかった私は、当然よい結果を出せるはずがありません。パニック障害が落ち着いてきた二五歳のとき、これ以上ダラダラと続けていても仕方がないと考え、司法試験は断念しました。資格を取ることをあきらめて就職することにしたのです。

ところが、いざ面接のため会社を訪《おとず》れても、足がすくんで入れない。パニック障害は落ち着いてきたとはいえ、人と会うのがこわかったのです。何度会社の前まで行っても、どうしても中に入ることができませんでした。「自分はもう、普通に会社で働くことすらできないんだ」と、心底情けなく思いました。

実家で暮らしている以上、そのままいつまでも黙《だま》っているわけにもいかず、思い切って両親に打ち明けました。すると、父が自分の司法書士事務所で事務員として働くことを勧めてくれたのです。

私は本当に運がよくて、恵まれていると思います。資格が取れなくても、普通に会社勤めができなくても、働ける場所があったからです。それはとてもありがたいことで、文句も言わず私を受け入れてくれた親には心から感謝しています。

でも、司法書士の父のもとで働くということは、自分も司法書士になるために、一度は断念した資格取得という道を再び目指さなくてはならないことを意味していました。

けっして父から強要されたわけではありません。けれど、見た目のコンプレックスを抱《かか》え、コミュニケーションにも自信が持てず、普通に会社で働くどころか面接すら受けに行けない私にとって、ほかに選択肢《せんたくし》はありませんでした。そして、再び資格取得のための勉強を始めたのです。

少しずつ向き合い始めて

少し時間が戻《もど》るのですが、大学を卒業し、まだ司法試験の勉強をしていた二三歳のころのことです。自分と同じような悩みを抱えている人がいないかとインターネットで探していました。

ある日、ひとりの男性のブログを見つけました。その男性は私と同じ口唇口蓋裂の人で、声で悩んでいると書かれていました。はじめて同じ症状の人に出会った瞬間《しゅんかん》です。「自分だけが悩んでいるわけじゃない。同じ症状の人で、同じように悩んでいる人がいた」——そうわかっただけでとてもうれしかったし、勇気をもらいました。

すると、こんどは実際に当事者に会ってみたくなりました。自分の顔は鏡で見たことはありますが、この口唇口蓋裂という症状を客観的に見たことはありません。いったい人からはどう見えるのだろうかと気になったのです。

そこで、またインターネットで探してみると、自分と同い年の男性の当事者と、小学生の息子《むすこ》が当事者だというお母さんとでオフ会をするという情報を見つけました。私はそれまでまったく絡《から》んだことのない相手に思いの丈《たけ》を熱くつづったメールを送り、そのオフ会に参加することにしました。

オフ会当日その男性に会ったときの第一印象は、「普通の人」でした。それまで自分の思っていた当事者のイメージは、化《ば》け物《もの》のようなゆがんだ顔だったのですが、実際に会った相手の顔は、傷痕も曲がった鼻もあまり気になりませんでした。

鏡で見るのと実際の当事者を目《ま》の当たりにするのとは、まったくちがいました。あんなに気になっていた見た目なのに自分以外の当事者を目の前にして、「なんだ、たいしたことないじゃないか」と自分の見た目に対するコンプレックスも少し軽くなりました。また、彼《かれ》は大学院生だったのですが、大学生活を楽しんでいると聞いておどろきました。あまりにも自分の学生時代とちがっていたからです。

彼らと症状のことや治療のこと、自分の思いや暮らしぶりなどいろんな話をしました。二人とも特段、患者会《かんじゃかい》などの活動をしているわけではありませんでしたが、私には二人の話が難しくてよくわかりませんでした。

今でこそ症状についてそこそこ詳《くわ》しく知っていますが、当時は口唇裂をくっつける手術は赤ちゃんのときにするという基本的なことも知りませんでした。両親が病気の話をすることはあまりなかったですし、私から親に病気について聞くこともなかったからだと思います。

二人の会話を聞きながら、自分はこんなにも自分の症状について知らなかったのかと思い知らされました。そして、圧倒的《あっとうてき》な知識量の差に強い衝撃《しょうげき》を受け、自分ももっと知りたくなりました。

それから、インターネットで情報を集めたり、正しく理解するために医学書や専門書を読み解いたりして、じっくりと納得がいくまで調べるようになりました。

それまでは症状のことはタブーな感じがしていました。父や母からそう言われたわけではありませんが、考えてはいけない、ふれてはいけないような気がしていたのです。

それに、正直なところ知るのがこわかった。自分でも理由はよくわからないのですが、それ以上治らないことを認めたくなかったのかもしれません。書店の医学コーナーで専門書の背表紙を眺《なが》めるだけで、どうしても手に取ることができませんでした。

ところが、症状について知識を得るにつれて、自分のなかの暗い部分にひとつずつ光が差していくようで、知れば知るほど心は楽になっていきました。今は症状のことを調べてよかったと思っています。

そして、せっかく調べたので、ウェブサイト「口唇口蓋裂のおはなし」を開設し、情報を共有することにしました。医学書の難しい内容を誰《だれ》にでもわかりやすいようにまとめ、自分の治療体験や症状に対する思いなども掲載《けいさい》しました。

私のように症状のことをよく知らずに悩んでいる人もいると思うので、そんな人たちにぜひ見てほしかったのです。そして、もしひとりで悩んでいるのなら、同じような悩みを持っていた人間がいるということを知ってほしい。私自身も同じ悩みを持っている人がいることを知り、ものすごく安心したし勇気づけられたからです。

また、ウェブサイトを開設したもうひとつの目的は、みんなが自由に自分の気持ちや質問を書きこめる掲示板《けいじばん》をつくるということでした。私自身が掲示板を通じて、同じ悩みを持つ人たちと交流したかったというのもあります。ほかの当事者や親御《おやご》さんたちは症状のことをどんなふうに考えているのか、もっと知りたかったのです。

実際、掲示板には大勢の人たちがいろんな思いを書きこんでくれました。悩みや苦しみ、それに対するはげましなど、本当にたくさんの思いがあふれていました。多くの親御さんたちは我《わ》が子のことを懸命《けんめい》に考え、治療をしていることもわかりました。そんな親御さんたちの書きこみを見て、私はきっと自分の父と母もこんなふうだったのだろうと思い、あらためて両親に感謝しました。

ウェブサイト開設が縁《えん》でオフ会も主催《しゅさい》しました。東京だけではなく大阪《おおさか》や北海道でも開催《かいさい》して、たくさんの人たちと出会うことができました。

自分以外の当事者の声にふれたことが、私の人生の転機になったことはまちがいありません。当たり前ですが、同じ病気でもちがう生き方があり、いろんな考えがあります。私はたくさんの当事者の思いにふれることで、自分がゆがんだセルフイメージを持っていることに気がつくことができました。

治療についてもみなさんから情報を得て、冷静に考えてみました。そのうえで、やはり自分の声に納得していなかったので、子どものころにやっていた言語治療を再開することにしたのです。

言語治療とは、言語聴覚士の指導のもと正しい発音の訓練を受けるというものです。一般《いっぱん》的《てき》には幼稚園《ようちえん》か小学校低学年のころに行うのですが、大人になってからでもおかしくないと思い、子どもたちと一緒《いっしょ》に言語治療を受けました。

そんなふうに納得がいくまで症状と向き合ったので、今は症状に対する興味もあまりなくなり、情報収集も行わなくなりました。

変わり始めた自分

このように少しずつ自分の症状を知って、前向きにとらえることができるようになってきてはいたのですが、いろいろな人と関わることにはまだ少し不安がありました。そこで、パニック障害は落ち着いていましたが、二〇代後半からグループカウンセリングに通い始めました。

グループカウンセリングとは、同じようにパニック障害を抱える人が五〜一〇名くらいでグループをつくり、自分がぶつかっている困難な場面(たとえば、買い物をしようと思って店に行っても、店員から変な目で見られたり、さけられたりしてしまうなど)を語り合い、そのときに感じた自分の気持ちやものの見方を整理していくというようなものです。このグループカウンセリングは私にあっていたようで、徐々に人への恐《おそ》れが薄《うす》まっていきました。

同じころ、司法書士資格取得のための勉強のコミュニティにも参加するようになったのですが、これが大きなはずみとなって三二歳くらいから本格的に勉強に打ちこみ始めました。そして、猛勉強《もうべんきょう》の末、三五歳で司法書士に合格しました。今は父の司法書士事務所を引《ひ》き継《つ》ぎ、自分がメインとなって働いています。

司法書士になるための勉強会で猛勉強していたとき、ひとりの女性が勉強会に参加してきました。偶然《ぐうぜん》ですが、彼女《かのじょ》と私の父親同士は古くからの知り合いだったのです。二人ともおたがいの存在は知っていましたが、会ったのはそれが初めてでした。それからは彼女と連絡を取り合い、はげましあって勉強し、いつしか大切な存在になっていました。

私が資格を取得してから数年後、彼女も無事に合格しました。そして、彼女の合格発表の日にあわせて婚姻届《こんいんとどけ》を役所に提出しました。

友人がひとりもいない大学生だった私は、合コンやコンパなんて参加したこともありません。まさか自分が結婚《けっこん》できるとは思っていませんでした。資格取得も、普通に就職活動ができない自分が社会生活を送るために残された唯一《ゆいいつ》の道でした。そんな私にとって結婚と資格取得は、なにより自己肯定感《じここうていかん》を高めてくれたと実感しています。

今は仕事も家庭も充実《じゅうじつ》した毎日を過ごしています。けれど、たまに、もし今の自分の心の状態で大学に入っていたらどうなっていたのだろうと思うことがあります。

当時の私は見た目や声のコンプレックスに苛まれ、人と会うのがこわくて、大学生活を楽しむ心のゆとりはまったくありませんでした。せっかく入ったゼミでもほとんど発言ができなかったことには、大きな悔《く》いが残っています。

「もっと自分に自信が持てて、もっとリラックスして人と接することができたならば、ゼミでも発言できただろうし、友人もたくさんできたかもしれない。きっとちがう人生が送れたはずだ」と、そんなことを考えることもあります。

今でも私は人づきあいが苦手です。仕事柄《しごとがら》たくさんの人に会うのですが、とくに初対面のときはすごく緊張《きんちょう》します。それでも、頼《たの》まれたことを一件一件しっかりていねいにやることで、自然と良好な関係を築くことができています。

オフ会や資格取得のための勉強会などを通じてできた、症状のことを気にせずにつき合える友人たちもいます。今はこんな生き方も悪くないと思えるようになりました。

【鹿島さんの話を聞いて】

鹿島さんの人生の転機は、まさに同じ症状の人たちとの出会いでした。たとえ同じ症状だとしても一〇人いれば一〇通りの人生があります。

今から二〇年近く前、私が「見た目問題」活動に関わり始めたころに出会った当事者さんたちは、「自分以外の当事者に会ったことがない」という人が大半でした。そのため、いじめで苦しんだ人たちは、大人になってもいじめられるという思いからなかなか脱《だっ》することができず、明るい未来を想像できずにいました。幸せに生きている当事者に出会ったことがないからです。

鹿島さんがゆがんだセルフイメージから抜け出すことができたのは、積極的に当事者たちとつながり、さまざまな生き方を見てきたからでしょう。

そして、もうひとつ、症状について正しく知ることも鹿島さんに大きな影響《えいきょう》を与《あた》えました。鹿島さんも言っていますが、症状について知ることをこわいと感じる人もいます。ときには、それ以上は治らないという医療《いりょう》の限界や、これから起こるかもしれない困難と向き合うことになるからです。

けれど、症状のことを正しく理解し、それに関する負のできごとや思いからも目をそらさず、現実から逃げないということは、自分を知るうえでとても大切です。

鹿島さんの話には、「納得」という言葉が何度か出てきます。ご自身が症状についてとことん向き合ったからなのだと思います。

鹿島さんは症状について知ることを、「自分のなかの暗い部分にひとつずつ光が差していくよう」だったと言っています。ほかにも、ある当事者さんは「鎖《くさり》がはずれて心が軽くなっていった」と表現しました。たしかに、いくら症状について詳しくなったからといって治るわけではない。それでも症状について正しく知ることは、それからの人生を左右するほど大きなことなのです。

口唇口蓋裂は「見た目問題」のなかでも比較的多くの当事者がいる症状ですが、広く一般に知られているほどではありません。そのため、生まれたときの状態を見ておどろいてしまう親御さんもいることと思います。

でも、治療技術は日々進化をとげています。何より、どのような症状でも自分らしく生きている当事者は大勢います。彼ら・彼女らの声に耳を傾《かたむ》け、いろんな人生があることをぜひ知ってほしいのです。

ある日突然、体の一部を失って

人物ファイル7

杉田真梨《すぎたまり》さん

(39歳《さい》　会社員)

症状《しょうじょう》：指の欠損

(左手小指を事故で切断)

【症状解説】 身体の欠損を補うエピテーゼ

目、耳、鼻、指、腕《うで》、足、乳房《にゅうぼう》などを、シリコン等を使って本物そっくりにつくった医療《いりょう》用の人工ボディーパーツ。事故や病気によって、また、先天的に体の一部を欠損した人たちの、おもに見た目を補う道具のひとつ。

【私から見た杉田真梨さん】

杉田さんとの出会いは今から一八年ほど前、私が「見た目問題」の活動を始めたころのことです。エピテーゼ（人工ボディーパーツ）をつくっている会社を訪《おとず》れた際、そこで働いていたのが杉田さんでした。

「まだ働き始めたばかり」とのことでしたが、明るくほがらかでテキパキと手際《てぎわ》よく動き回る彼女《かのじょ》は、はじめて会ったときからとても好感がもてました。今も「見た目問題」についての情報交換《こうかん》をするなど、交流はずっと続いています。

「見た目」の症状は、生まれつきのものばかりではありません。事故や病気で、手や足、耳、鼻など体の一部を失った人たちもいます。そんな人たちの姿を好奇《こうき》の目で見る人たちも少なくありません。

突然《とつぜん》の事故や病気、それは誰《だれ》しもに起きうることです。体の一部を失った人がエピテーゼと出会い、それを「自分のもの」にするまで、どんな思いを経験しているのでしょうか。

杉田さんのお話

私の仕事

私は医療《いりょう》製品の製造販売《はんばい》をしている会社に勤めています。

会社での私の仕事はエピテーゼの製作です。事故で手や足を切断した人や、生まれつき耳がない人、乳がんで乳房を切除した人など、何らかの理由で体の一部を失った患者《かんじゃ》さんに直接お会いして話を聞き、その人にあったエピテーゼをつくっています。ひとりひとり、完全オーダーメイドです。

エピテーゼは日本ではあまり知られていないのですが、欧米《おうべい》では一般《いっぱん》にも普及《ふきゅう》しています。「つくり物のボディーパーツ」というと、おもちゃみたいな印象を受ける人がいるかもしれませんが、実際は本物そっくりで、よく見なければ人工物だとはわからないくらいです。会社のウェブサイトにはエピテーゼの写真がたくさん載《の》っていますので、ぜひ一度見てみてください（株式会社アヘッドラボラトリーズ　http://www.ahead-lab.com/）。

ところで、エピテーゼは歯科技工の技術を応用してつくられているのですが、私自身はエピテーゼ製作の技術を専門的に学んだわけではありません。あることがきっかけで今の仕事を始めるようになりました。

✤突然のできごと

私が学生のころは就職氷河期と言われ、正社員として会社に就職するのがとても難しい時期でした。友人たちは正社員として企業《きぎょう》に就職するためにかなりしんどい思いをしていましたが、私は「そこまで正社員にこだわらなくてもいいかな」と気楽に考えていて、卒業後はフリーターとしてアルバイト生活をしていました。

クリスマスが近づいてきたある日、アルバイト先の友人に誘《さそ》われて、ドライブがてら四人で遊園地に遊びに行きました。いくつかアトラクションに乗って、いよいよこわいと評判のお化《ば》け屋敷《やしき》へ。お化けに扮《ふん》したスタッフが追いかけてくるタイプのお化け屋敷だったのですが、評判どおりスリル満点で、友人たちと大さわぎしながら逃《に》げ回っていました。

あと少しで出口というところで、後ろからすごい勢いでお化けが追いかけてきました。「うわーっ」と声をあげて逃げ出したそのとき、私の左手の小指が何かせまいすき間にスポッとはさまりました。でも、後ろからお化けが追いかけてくる。そこで、グッと力を入れて指を引《ひ》っこ抜《ぬ》き、急いで走って逃げました。

何とか出口にたどり着いてホッと一息ついていると、友人が私の左手を指差し大声で叫《さけ》んでいます。「どうしたの!?」

ビックリして自分の左手を見ると、なんと血がベッタリと付いています。「へー、すごい演出！　でも、血のりが服に付いたら洗っても落ちないいんじゃない？　ちょっとやり過ぎだよ」――そう思いながらよくよく左手を見ると、小指の先から血がドクドクと吹《ふ》き出《だ》していました。「あれ、小指の先がない!?」

私の左手小指のちょうど爪《つめ》があるはずの部分が、すっぽりとなくなっていました。

友人たちはパニックになり、「指を探せ！　探せ！」と怒鳴《どな》っています。遊園地のスタッフたちも一緒《いっしょ》に切れ落ちた指先を探してくれましたが、なかなか見つかりません。

みんな右往左往《うおうさおう》と大あわてでしたが、まわりが必死になればなるほど、なぜか私は冷静になりました。遊園地のスタッフさんたちがとんがり帽子《ぼうし》をかぶって顔にクリスマスツリーのペイントをしていたり、お化けに扮したりしている格好のまま、申しわけなさそうに謝《あやま》っている姿が妙《みょう》に滑稽《こっけい》だったのを覚えています。

とにかく病院へ行こうということになり、遊園地の車で病院へと運ばれました。不思議と痛みは感じていませんでした。でも、ここから先の記憶《きおく》がないんです。

　気づいたら病院にいました。左手の小指の先からは血がどんどん流れ出ていて、「このまま体中の血が全部なくなっちゃうんじゃないか」と思ったくらいです。見ると、切断された指の先から骨がつき出していました。

　つき出た骨の先がけずられ、少し短くなった小指の先が縫《ぬ》い閉じられていく。その様子を始めから終わりまで、私はただ呆然《ぼうぜん》と眺《なが》めていました。指先は麻酔《ますい》がきいているからか、痛みもなく、現実感などまるでありません。

　私が治療《ちりょう》を受けている間も、友人や遊園地のスタッフたちは、切れ落ちた指先を必死に探してくれていました。「やっと見つかったよ！」と友人が病院に持ってきてくれたのですが、そのときにはすでに治療は終わっていて、もう指をつなげることはできませんでした。仕方がないので、私はその指先を氷づけにして家に持ち帰りました。

　治療も終わり、ひとまず私たちは車で帰ることにしました。私はせっかくみんなで楽しもうと遊びに来たのに、こんなことになってしまって本当に申しわけないという気持ちでいっぱいでした。ところが、友人たちは家に帰るまでの車の中で、誘ってごめんねと謝ったり落ちこんだりするかわりに、遊園地に対してものすごく怒《おこ》ってくれたんです。

「あんなに危険な設備のところで追いかけるなんてどうかしてる。一〇〇パーセント遊園地が悪いよ。真梨の手をこんな痛い目にあわせるなんて、絶対に許せない！」そんな友人たちの心づかいに、私は救われる思いでした。

失った後に出会ったもの

翌日、家の近くの病院に氷づけにして持ち帰った指先を、「もしかしたらくっつくかもしれない」とわずかな希望を抱《いだ》いて持っていきました。けれど、すでに小指の先は閉じられていて、もう付けることはできないと、医師からはっきりと言われてしまいました。でも、断言されたことで逆にあきらめがつきました。結局、その指先はそのまま病院で廃棄《はいき》処分にしてもらいました。

この治療の際に、医師から「鉛筆《えんぴつ》キャップみたいに指先にかぶせるエピテーゼというのがある。つくり物だけど、本物の指そっくりらしいので試《ため》してみたら」と紹介《しょうかい》されました。

でも、人工物を付けるのは何となくいやだったので、私はそのまま包帯を巻いて過ごしていました。

そして、何事もなかったかのように、これまでどおりアルバイト先で働いていました。

だけど、「別に小指の先がちょっと短くなっただけ。大したことない。不便なこともないし、大丈夫《だいじょうぶ》」――いくらそう自分に言い聞かせていても、やっぱり無理があります。ちょうど爪の分だけ短くなってしまった指なんて見たくないし、まわりにバレるのもいやだったので、傷口が閉じてからも包帯を巻いて生活していました。

一緒に遊園地に行った友人たちも、やっぱり私の指のことが気になるようでした。私自身も何度も包帯を取り替《か》えるのが面倒《めんどう》になってきたので、エピテーゼを試してみることにしました。

エピテーゼをつくるには最初にカウンセリングを受けます。どうして指を失ったのか、傷はどんな状態か、痛みはあるのか、指の長さや曲がり具合など、細かくていねいに話を聞いてくれました。そして、色も形も私の指にピッタリとあったエピテーゼをつくってくれたのです。たしかにでき上がったエピテーゼは本物の指そっくりでした。

まるで指サックをはめるかのように、はじめて自分の指先にエピテーゼを付けたとき、正直に言うと自分の「もの」だとは思えませんでした。いやじゃないけど違和感《いわかん》がある。何とも言えない不思議な感覚です。けれど、エピテーゼを毎日付けて生活しているとだんだんとなじんできて、半年も過ぎたころには失う前の指が戻《もど》ってきたような、どこかなつかしい感じがするようになりました。今ではエピテーゼを付け忘れて出かけると、携帯電話《けいたい》を忘れたような心もとない気分になります。

こんなふうにエピテーゼと出会った私は、これから一生使い続けるであろうエピテーゼというもの自体に興味がわき、その後もちょくちょく会社に顔を出してはメンテナンスをしてもらったり、ほかのエピテーゼを見せてもらったりしていました。

ちょうどそのころ、その会社が引《ひ》っ越《こ》すことになり、社長から頼《たの》まれて引っ越しの手伝いをしました。そして、会社が家から近くなったこともあって、自分の指をつくってくれた会社に勤めることになりました。

心の折り合いのつけ方

今ふり返ってみると、事故の後、私はあまり落ちこみませんでした。どうしてなのか自分なりに考えてみたのですが、ひとつはたぶん、骨がけずられ、指先が縫われていく治療の過程をすべて見ていたからではないかと思っています。もう指が元の状態に戻ることは絶対にないということに納得《なっとく》がいきました。

そして、もうひとつ思い当たることがあります。事故の直後、家に帰るまでの車の中で、友人たちは遊園地に対してものすごく怒ってくれました。また、後日、遊園地側が実家に謝罪に来たときには、父が相手を怒鳴りつけてくれました。エピテーゼ製作会社の社長はカウンセリングのときに、「そんなに大変なことがあったのか」と言ってくれました。

誰も「お前の不注意だ」とか「自分でやったんだから仕方がない」とか、まったく言わなかった。それどころか、怒るべきときにまわりも一緒に怒ってくれる。それがあったからこそ、変に自分の心にフタをすることなく、折り合いをつけることができたように感じています。

今、思うこと

私が失ったのは左手の小指の先、ちょうど爪がある部分です。仕事柄《しごとがら》ということもありますが、指先をぶつけたとき骨に響《ひび》いて痛いので、それをカバーするためもあって日常的にエピテーゼを付けています。

私の指先がないことにほとんどの人は気づきません。あえて指のことを自分から話すこともありません。別にかくしているわけではないのですが、とくに言う必要性を感じないからです。

機能的な支障はとくにありません。強《し》いて言うなら、リコーダーのような指先を使う楽器が演奏できないということくらいでしょうか。

あきらめなければならないこともほとんどありません。事故直後は「ジュエリー販売のような仕事は無理だ」とか「結婚《けっこん》もできない」と落胆《らくたん》したこともありましたが、今はそんなふうには思っていません。どんな仕事だってやってみればいいし、よい出会いがあれば結婚もしたいと考えています。

ただ、親がしみじみと私の手を見て、「こんな手になっちゃって」と気にするので、それだけは申しわけないことをしたと思っています。だから、親を安心させるためにエピテーゼを付けているというのもあります。

そんな私ですが、体の一部を失った当事者としてこの仕事に就《つ》けたことに、今はとても感謝しています。やりがいのある仕事ですし、でき上がったエピテーゼにおどろき、喜んでいる患者さんの姿を見るのはすごくうれしい。

以前、病気で片足だけが極端《きょくたん》に細い女子高生を担当しました。彼女は足を人に見られるのがいやで、けっしてスカートをはかない。いつもパンツルックでした。そこで、細いほうの足のまわりをぐるりとカバーするエピテーゼをつくったのですが、生まれてはじめて膝丈《ひざたけ》のスカートをはき、鏡に写った自分の姿を見たときの彼女の顔は今でも忘れられません。パーッと明るくなって、まるで少女マンガみたいに背景に花が咲《さ》いたような笑顔《えがお》を浮《う》かべていました。この仕事をしていて心からよかったと思える瞬間《しゅんかん》です。

また、最近は体の一部を失った患者さんたちの集まりで、エピテーゼについて説明する機会をいただくことがあります。私のようにエピテーゼとの出会いで人生が変わる人もいるかもしれないと思っています。

患者さんたちと話していて、「当事者同士だからこそ、受け入れてもらいやすいのかな」と感じることがあります。私の体験を伝えると、ふっと緊張《きんちょう》を解いて笑顔になってくれる人もいます。体の一部を失った人たちと向き合い、自分自身の事故と欠損をフルに生かして仕事をする。それは何ものにも代えがたい経験です。

【杉田さんの話を聞いて】

杉田さんから教えてもらった話ですが、「エスカレーターを利用する際、ベルトに手をかけたら注意が必要。エピテーゼが指からはずれて、エスカレーターのベルトにはり付いたまま行ってしまうことがあるから」とのこと。杉田さんはすでに三つ、指をなくしてしまったと笑っていました。エスカレーターのベルトにちょこんと指が乗っかっているのを見た人は、さぞかしびっくりしたことでしょう。

さらに杉田さんは、「多くの患者さんと出会うなかで、体の一部を失った人はみんな仲間だと感じています。子どもから年配の方まで人それぞれだけど、痛みと感動をわかち合える仕事に就けて私は本当に幸運でした」と話してくれました。

指を失うという事故はとてもショックでつらいできごとですが、まわりの人たちのサポートや新しい出会いがあって、そこからまた道が開けていく。人生って本当に不思議なものですね。

ところで、「小指の先を失ったくらいで大げさな」と思う人もいるかもしれません。でも、たとえ指先であろうと、今まで当たり前にあったものが、ある日突然なくなってしまう。もし自分だったらと考えてしまいます。

それに、私たちの日常で、指を目にする機会は意外と多いものです。握手《あくしゅ》をする、名《めい》刺《し》をわたす、書類に名前を記入する、食事をする、カップでお茶を飲むなど。ふと目にした相手の手に指がなかったら、気になるものではないでしょうか。

私の父はすでに亡くなっているのですが、じつは、左手の薬指と小指がありませんでした。若いころに仕事で工場の機械に指をはさんで、切断してしまったそうです。祖母は結婚できないんじゃないかとずっと心配だったと言っていました。

私にとって父の左手は、はじめから薬指と小指がありません。それを「変だ」とか「いやだ」と思ったことはありませんが、杉田さんを見ていて、「ありのままもいいけどエピテーゼもいいな。もっと気軽にエピテーゼを使ってもいいかもしれない」と思いました。

父は指がないことを気にしているふうではありませんでしたが、生きていたらエピテーゼをつくってあげたかった。父がどんな顔をするのか見てみたかったです。

コラム1

見えなくても、苦労がある

私は日本各地で「見た目問題」について講演をしています。講演のあとで時々、「じつは私……」と、お腹《なか》や背中に症状があることを私に話してくれる人がいます。「見た目問題」当事者といっても、顔や手といった見える部分に症状《しょうじょう》がある人ばかりではありません。見えない部分に症状を抱《かか》えている人もいます。

お腹や背中、太ももなどに症状があっても、ふだんは服でかくれています。脱毛症《だつもうしょう》でカツラを使っている人も同じなのですが、そういう人たちの場合、自分から言い出さなければ人に知られることはありません。だから、道ですれちがいざまにジロジロ見られたり、暴言をはかれたりということはないのですが、反面、いつかバレるのではないかとビクビクしたり、なんとかかくし通そうと気をつかったりしています。

背中から肩《かた》にかけて大きなやけどの痕《あと》があるという男性は、「半そででも見えないと思うんだけど、夏でもやっぱり長そでを着ちゃうんですよね」と言っていました。

脱毛症でカツラを使っている二〇代の女性は、カツラだとバレるのがこわくて、ほぼ一か月ごとにアルバイトを変えているそうです。職場で髪型《かみがた》の話題になることも多く、とくに女性は前髪《まえがみ》を少し切っただけでも周りの人に気づかれることがよくあります。当然ですがカツラの髪は伸《の》びないので、一か月もすると不自然に思われてしまうからです。

カミングアウトのタイミングがつかめずに悩《なや》んでいる人もいます。「症状のことを伝えていなかったため、友人から温泉旅行に誘《さそ》われてもすぐには返答できなかった」などということもあります。もしあなたが友人を温泉やプールに何度誘ってもはぐらかされてしまうことがあったら、その人はどこか見えない部分に障がいや症状を抱えているのかもしれません。

ところで、もしもあなたが、当事者がカミングアウトする前に症状に気づいたとしたらどうしますか？

普段《ふだん》はカツラを使っている脱毛症の女性から、こんな話を聞いたことがあります。

会社に勤め始めてから半年くらいたったころ、同僚《どうりょう》に思い切って脱毛症でカツラを着けていることをカミングアウトしたところ、相手は「そうなんだ」とただ事実を受け止めてくれたそうです。彼女は「うれしかったし、とてもホッとした。バレないように必死でかくしてきたので、もしこのときに「じつは気づいていたよ」なんて言われたら、すごくショックを受けたと思う」と言っていました。

感じ方は人それぞれなので、これが正解というわけではありません。正直に言われたほうがいいという人もいるでしょう。私もまだ試行錯誤《しこうさくご》しています。ただ、自分なりにその人のことを真剣《しんけん》に考えて向き合う姿勢は大事にしたいと思っています。

第２部
当事者をとりまく人たち

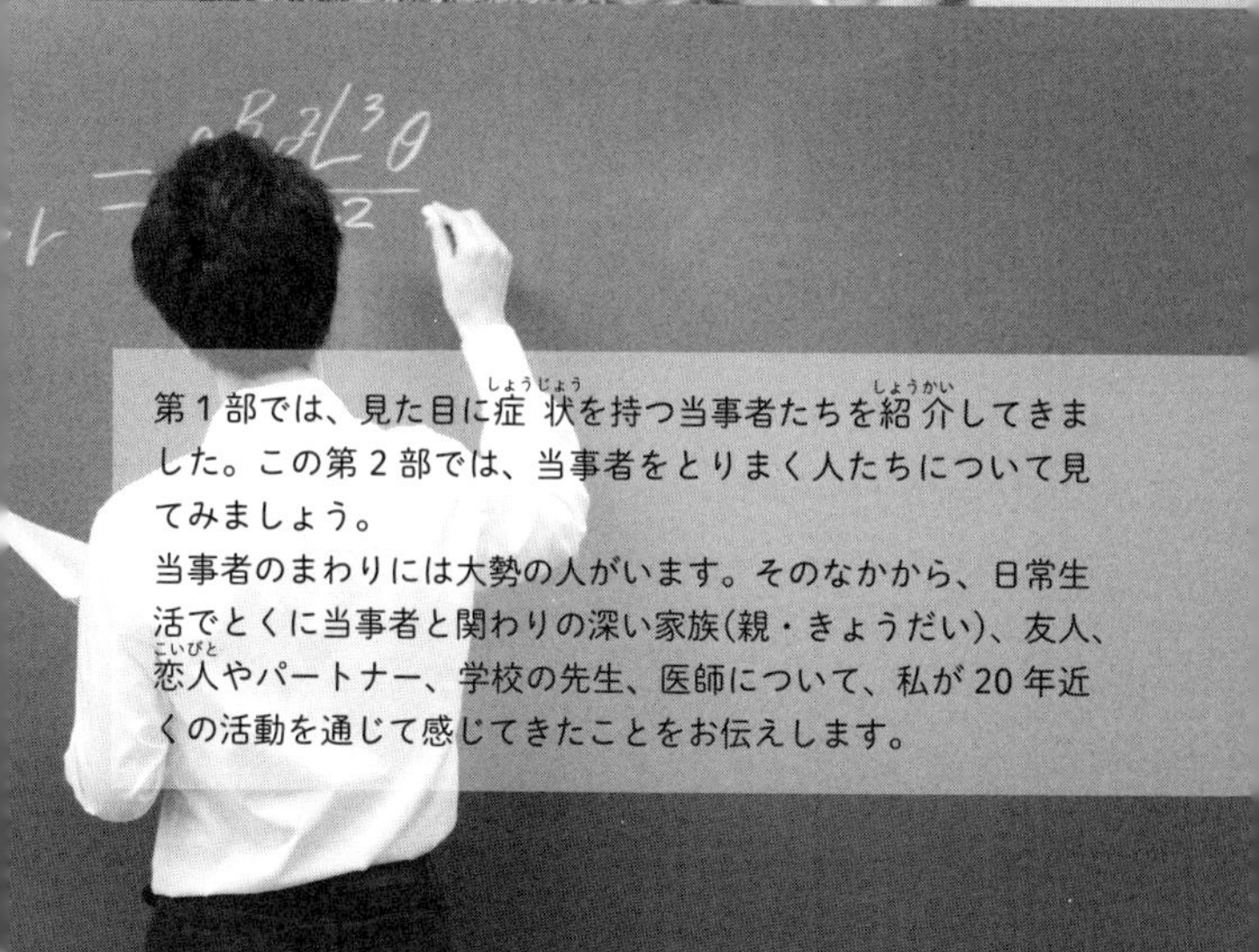

第１部では、見た目に症状《しょうじょう》を持つ当事者たちを紹介《しょうかい》してきました。この第２部では、当事者をとりまく人たちについて見てみましょう。
当事者のまわりには大勢の人がいます。そのなかから、日常生活でとくに当事者と関わりの深い家族（親・きょうだい）、友人、恋人《こいびと》やパートナー、学校の先生、医師について、私が 20 年近くの活動を通じて感じてきたことをお伝えします。

✤代われるものなら代わってあげたい

「見た目問題」に関わり始めたころ、私は「こんな顔に産んで」と親をうらんでいる当事者はたくさんいるのだろうと想像していました。ところが、私が出会った人たちの多くは親に申しわけないと思っていると言うのです。

「治療《ちりょう》には時間もお金もかかるし、自分が生まれたせいで両親が悪く言われる。とくにお母さんは、こんな子が生まれたのはお前のせいだと親戚《しんせき》じゅうから責められていた。迷惑《めいわく》ばかりかけてきた」と語ってくれた人もいました。小さなころから治療をくり返していた女性は、「夏休みや冬休みなどの長期のお休みは、ほとんど入院して手術を受けていた。そのせいで家族旅行もできず、申しわけなかった」と話していました。

他方、親たちは「代われるものなら代わってあげたい」と言います。そして、できるだけ早く治してあげたいと考え、物心がつく前に、せめて学校に上がるまでにはと、何か所も病院を訪《おとず》れます。少しでもよいと聞けば、民間療法《りょうほう》やサプリメント、健康食品など、ありとあらゆる手を尽《つ》くそうとする人も少なくありません。

そんな親の思いにつけいるかのように、効果が科学的に証明されていない高額な商品やカルト的な宗教を勧《すす》めてくる人もいます。その結果、かえって親子関係がギクシャクしてしまうこともあるのです。

また、人生の先輩《せんぱい》として社会の厳しさを十分に知っている親たちは、我《わ》が子がこれから直面するであろう困難に心を痛めています。生まれつきの病気で顔が変形している赤ちゃんの父親は、すれちがいざまにヒソヒソ言われる我《わ》が子を思い、「今はまだ赤《あか》ん坊《ぼう》なのでわからないが、この子が大きくなったとき、同じようなことをされたらと考えただけで胸がしめつけられる」と語っていました。

ある講演会で、顔に赤アザがある高校生の息子《むすこ》がいるという父親から、「見た目問題の当事者は障がい者ではないということを強く訴《うった》えてほしい」と言われたことがあります。

この意見に、私は同意しませんでした。そもそも、障がい者であるかどうかということは問題の本質ではありません。それに、私はこのように障がい者を一段低く見るような論調にはまったく賛同できないからです。

でも、そのお父さんの気持ちもわからなくはありません。彼《かれ》はただ、息子のことを普通《ふつう》に扱《あつか》ってほしいだけなのです。それをうまく表現できず、「障がい者ではない」という言い方になってしまったのだと思います。

当事者も親もたがいを思いやり、申しわけないと思ったり心を痛めたりしています。優《やさ》しさゆえのことではありますが、なんだかとてもやるせない気持ちになります。

❀きょうだいだからといって

ところで、これは障がい者をとりまく問題についても当てはまることですが、当事者と親のことはよく語られます。見落とされがちなのは、当事者のきょうだいです。当事者のきょうだいのなかには、複雑な思いを抱《かか》えている人もいます。両親はどうしても当事者にかかりきりになってしまうことが多く、さびしい思いをしている人もめずらしくありません。

第1部で紹介《しょうかい》した脱毛症《だつもうしょう》の森田さんの弟さんが「お前の兄ちゃん、ハゲじゃん」とバカにされたように、当事者の見た目のことで、きょうだいまでいじめられることもあります。当事者本人のせいではないとわかっていても、八つ当たりしてしまったり、友人に当事者の存在をかくしてしまったり。そのせいで家族と疎遠《そえん》になってしまう人たちもいます。

また、親と同じように、代われるものなら代わってあげたいと思うきょうだいも少なくありません。同じ親から生まれたのに自分には症状《しょうじょう》がないということで、かえって後ろめたく感じてしまうこともあります。

弟の顔に赤アザがあるという女性は、弟が結婚《けっこん》したときに心からホッとしたそうです。「それまでは自分ばかり運がいいように思えて、何だか申しわけない気持ちだった。やっと肩《かた》の荷がおりた」と言っていました。

当事者の結婚や就職を機に、このように感じる家族は少なくありません。しかし、これには抵抗《ていこう》を感じる当事者もいます。

子どものころに顔にやけどを負って、三〇代のときに結婚した女性は、「見た目問題」の活動に自分も関わってみたいと家族に話したところ、「なぜ、今さら？ 結婚もできたのだから、もういいじゃない」と言われたそうです。当事者からすれば、結婚や就職によって「見た目問題」のつらさがなくなるわけではありません。にもかかわらず、就職や結婚を機にそれで終わると思う家族はとても多いのです。

家族だからといって、すべてオープンにできるとは限りません。みなさんも、親子やきょうだいの間でも話せないことはあるでしょう。「見た目問題」においても同じです。家族といえども症状を見せたくないと思う当事者もいます。

知り合いのある脱毛症の女性は、カツラを脱《ぬ》いだ姿を家族の誰《だれ》にも見せたことがありません。実家で暮らしていたときはお風呂《ふろ》上がりにはニットキャップをかぶり、同居していた両親にも弟にも見せませんでした。自分の部屋で一人きりになるときだけ帽子《ぼうし》やカツラを取っていたそうです。唯一《ゆいいつ》、飼っていたネコだけがカツラを着けていない姿を知っていました。

✿ある家族の決断

二〇一七年一一月、新聞にある医師のコラム記事が掲載《けいさい》されました。食道閉鎖症《しょくどうへいさしょう》の赤ちゃんが生まれ、どうしても手術が必要だったが、家族はかたくなに手術を拒否《きょひ》したため、赤ちゃんは栄養が摂《と》れなくて衰弱死《すいじゃくし》してしまったという内容でした。

じつはこの赤ちゃんには食道閉鎖症のほかに、口唇口蓋裂《こうしんこうがいれつ》の症状もありました。医師たちが口唇口蓋裂の治療について家族に説明し、何度か手術をすればきれいに治すことができると説得しましたが、家族はどうしても赤ちゃんの顔が受け入れられなかったそうです。

このように、子どもを受け入れることができない親もいます。我が子の写真を撮《と》ることをためらったり、子どもを見られるのがいやで、家に客が来ると奥《おく》の部屋へかくしてしまったという人もいます。きっと、それまでそのような症状のある人に会ったこともなければ深く考えたこともなかったので、生まれてきた我が子を見ておどろいてしまったのでしょう。

コラム記事に書かれているできごとはとても悲しく、あってはならないことだと思います。けれど、この家族だけが特別にひどい人たちだったと言えるでしょうか？

もし、頼《たよ》れるような相談窓口があったら、同じような症状を持つお子さんの親御《おやご》さんから子育ての話を聞くことができたら、あるいは、成長した当事者たちに実際に会えたら、どうだったでしょうか？ 我が子の明るい未来を感じられ、ちがう決断ができたかもしれません。

ひとりでも生きていけるように

また、当事者や家族に対する社会的なサポートが何もないことから、我が子をより強く育てようとする親も少なくありません。勉強やスポーツという「見た目」とは別のところで人よりも秀《ひい》でることが必要だと説き、就職も結婚も難しいだろうから、ひとりでも生きていけるように手に職をつけなさいと教えるのです。

親にしてみれば、叱咤激励《しったげきれい》のつもりなのかもしれません。世間の荒波《あらなみ》に負けずに強く生きてほしいという願いから出てきた言葉《ことば》でしょう。しかし、当事者たちにしてみれば、親から劣等感《れっとうかん》を植え付けられていると感じてしまうこともあります。

以前、私たちが開催《かいさい》したシンポジウムで、さまざまな症状の当事者たちにパネリストとして登壇《とうだん》してもらったことがあります。みんなおしゃれで華《はな》やかで、シンポジウム自体も楽しいものでした。

その会場に、顔に赤いアザのある四〇代くらいの女性がいました。彼女《かのじょ》は帰りぎわ私に、「登壇者のみなさんがおしゃれでステキで、それがとてもうれしかった」と声をかけてくれました。話を聞いてみると、彼女は子どものころから母親に、「顔のことを考えて服を選びなさい。目立たないように地味な服装をしなさい」と言われ続けて育ったそうです。

別に彼女の母親が意地悪なわけではありません。いじめられたり、いやなことを言われたりして本人が傷つくのをさけるために、なるべく目立たないようにと気づかっているのです。でも、「見た目問題」の当事者は悪い事をしたわけでもないのに、こそこそとかくれて生きていかなくてはいけないのでしょうか。

「今日は来てよかったです」と彼女が笑顔《えがお》で帰っていったのが、とても印象に残っています。

お母さんには、わからない

もちろん、家族関係がとてもうまくいっている人たちも大勢います。親から「かわいい、かわいい」と言われて大事に育てられたおかげで、「どうせ自分なんか」と考えることがなかったという人もいます。マイフェイスのイベントに当事者と一緒《いっしょ》に参加している家族を見かけることがありますが、仲がいい様子を眺《なが》めるたびに、私はとてもうれしい気持ちになります。

それでも、学校でいじめにあったり、就職活動で偏見《へんけん》にぶつかったりしたときに、「この顔のせいだ」と親を責めてしまうこともあるでしょう。

生まれつき顔が変形している四〇代の女性は、「お母さんにはわからないよ！」と、子どものころに何度もそう言って困らせました。本心ではなく現実逃避《とうひ》をしたかっただけとのことですが、大人になった今では、丸ごと全部受け止めてくれたお母さんに心から感謝しているそうです。

自分と同じ苦労をさせたくない

では、親が当事者であった場合はどうでしょう。「自分のせいで子どもがいじめられたりするのではないか」とか、「親のことを友だちに知られたくないと思うのではないか」などと心配してしまいます。

実際、第1部で登場した脱毛症の町山さんも、同じような不安があるそうです。また、顔に白斑《はくはん》のある三〇代の男性は小学生の娘《むすめ》さんがいるのですが、「娘の学校行事には幼稚園《ようちえん》のころから一度も行ったことがない。授業参観や運動会に行ってみたいけれど、娘に迷惑がかかるのがこわくて参加できない」と言っていました。

社会人の娘さんが二人いるアルビノの女性は、娘さんたちが子どものころに、母親のことでクラスメイトからいろいろ言われていやな思いをしていたと話してくれました。

でも、娘さんたちは「お母さんは、お母さんだよ。たまたま色が白かっただけ」と言ってくれたそうです。「友人にも普通に私のことを紹介《しょうかい》してくれるのがうれしい」と笑っていました。

私も当事者のお子さんたちに話を聞いたことがあります。なかには学校で親のことをバカにされたり、いじめられたりした子もいました。けれど、親本人が見た目のことでつらい思いをしていることがわかっていたので、これ以上傷つけたくない、心配をかけまいと気づかい、親には黙《だま》っているのです。

話は少し変わりますが、子どもを産むということに不安を感じている当事者もいます。顔に赤アザのある三〇代の女性は、アザは遺伝しないと医師から聞いていたものの、いざ子どもが生まれたときに、「アザのない顔を見てホッとした」と言っていました。また、同じ症状を持つ五〇代の女性は、もしも子どもに自分と同じような症状が出たらという不安から妊《にん》娠《しん》をさけていたそうですが、「大丈夫《だいじょうぶ》。僕《ぼく》がちゃんと育てるから」という夫の言葉にはげまされて、今では三人の子どものお母さんです。

もしかしたら、「できれば普通の子どもがほしい」という願いに反感を覚える当事者の人もいるかもしれません。まるで「自分たちみたいな人間は生まれない方がいいということか」と感じてしまうからでしょう。

でも、それは誤解です。この女性たちはけっしてそういうことを言っているのではありません。自分と同じ苦労をさせたくないだけです。それほどまでに、彼女たち自身が苦労をしてきたということなのです。

私も社会に理解を広めていこうと活動しています。なぜなら、見た目に症状のある人たちが、今よりも楽に生きていけるようにしたいからです。それは、自分と同じような苦労をさせたくないという人たちの思いとまったく同じです。

❀友人たちの反応

とても残念なことですが、学校でいじめにあう当事者は大勢います。いやなことを直接されることもありますが、陰口《かげぐち》をたたかれることもあります。

ある男性当事者は自分のいないところで、普段《ふだん》は仲良くしている友人たちが自分の悪口を言っているのを知って、とてもショックだったそうです。けれど、そのときにかばってくれた子もいて、それがとてもうれしかったと話してくれました。

相手に悪気がないときもあります。小学生のころ、友人から「〇〇ちゃんは、アイドルになれないよね。その顔のキズじゃ」とサラリと言われたという当事者がいます。その友人にはまったく悪気がなかったようですが、「これが現実なんだ、私は普通じゃないんだ」と思い知ったそうです。

もちろん、友人関係がうまくいっている人もたくさんいます。その人たちの友人のなかには初めから症状を気にしなかった人もいますが、「最初はおどろいたけど、時がたつにつれてだんだん気にならなくなった」という人もいます。

長いつき合いのある当事者さんで、生まれつき顔に赤アザのある女性がいます。ある日、部屋で友人とテレビを見ていたら、ニュースで「見た目問題」の話題になったそうです。すると、友人から「そういえば、あなたの顔にもアザがあったよね」と言われて、「その友人は普段はアザのことをすっかり忘れていて、本当に気にしていないのだとわかって、うれしかった」と彼女は私に教えてくれました。

友人への当事者の思い

その一方で、自分と一緒にいるとその人もジロジロ見られたりして、迷惑をかけてしまうのではないかと心配している当事者もいます。また、ずっといじめられてきた当事者のなかには、自分のような者と友人になってくれるだけでもありがたいと言う人もいます。

私にもこんな経験があります。まぶたの病気で生まれつき片目がうまく開かない当事者さんがいます。彼女とは一〇年あまりのつき合いですが、あるとき、マイフェイスが主催《しゅさい》するイベントに幼なじみと一緒に来てくれました。

そのとき、彼女は私のことを幼なじみに「こんな私と友だちになってくれる変わった人」と笑って紹介してくれたのです。心を開いてくれたようでうれしかったけれど、なんだかとても切なかったことを今でもよく覚えています。

恋人《こいびと》・パートナー

❀ 告白

目鼻立ちが整っているかどうかは関係なく、見た目の症状があるというだけで恋愛《れんあい》対象とは見られないと考えている当事者は、けっして少なくありません。

顔にやけどの痕《あと》がある女性は、男性から告白されたとき、はじめは信じられなくて、宗教の勧誘《かんゆう》かと思ったそうです。彼女は「ずっと相手にしてなかったんだけど、それでもめげずに誘《さそ》ってくるので根負《こんま》けした」と笑っていました。

友だち同士から恋人に発展する人たちもいます。そういう場合、見える部分に症状があれば初めから症状があることをわかったうえでつき合っているのですが、服や化粧《けしょう》でかくすことができる症状だとカミングアウトのきっかけに悩《なや》んでしまいます。

実際、カミングアウトをした人たちに聞いてみると、ある程度親しくなってからという人がほとんどでした。まずは自分の人となりを知ってもらわないと、症状にとらわれすぎてしまい、うまく人間関係が築けないからだそうです。

相手の人柄《ひとがら》からしても、見た目のことで断られることはないだろうと思ってはいるものの、やはりカミングアウトするときには相当な勇気が必要です。勇気をふりしぼってカツラだと打ち明けたら、「死ぬような病気とか、もっと大変なことかと思った」と安心されて、拍子《ひょうし》抜《ぬ》けしたなどという話もあります。

その一方で、顔ではなく体に症状のある人たちは、デートで海やプールに誘われたときに、「水着になれば症状が見えてしまう」と悩んでいます。なかには「返事をためらっていたら気持ちを疑われてしまい、関係がギクシャクしてしまった」という人もいるのです。

パートナーたちの思い

同じ症状を持つ者同士のカップルもいます。たとえば脱毛症同士の夫婦《ふうふ》は、「おたがいに症状のこともさらけ出せるし、悩みのツボが同じなので話がつきることがない。二人で飲みながら朝まで語り合うこともある」と言っていました。

あるとき、以前発行していた機関誌『マイ・フェイス』の特集で、私は当事者たちのパートナー一〇人ほどに、「相手にはじめて会ったとき、症状が気になりましたか?」と聞いたことがあります。すると、全員が「気にならなかった」と答えました。それまでに同じような症状の人に出会ったことがある人もいれば、まったくなかったという人もいました。症状をはじめて見た人は「どうしたんだろう？」とは思ったものの、とくに不快感や嫌悪感《けんおかん》はなかったそうです。

当事者からすると、症状も含《ふく》めた自分を好きになってほしいという思いもあります。第1部で登場した脱毛症の森田さんは、普段はカツラを着けて生活していますが、「カツラを着けているときの僕も髪《かみ》のないときの僕も、どっちも受け入れてほしい」と言っていました。

あるご夫婦は奥さんが脱毛症で、髪がまだらに生えているような状態です。そこで、奥さんの髪が伸《の》びてくると、ご主人が奥さんの髪を剃《そ》ってあげています。スキンシップのひとつだと思っているとのことでした。すごく微笑《ほほえ》ましい光景ですよね。

大人になると理性が働くので、「本音ではパートナーの見た目に症状があることをいやだと思っても、たてまえ上、言わないだけだ」という考え方もあります。たしかにそういう人もいるでしょう。

でも、人は子どもから大人へ成長する過程でさまざまな経験をつみ、視野を広げ、より深くものごとをとらえられるようになります。「外見がすべてではない」ということにも気がつきます。たてまえだけで人づきあいをしている人ばかりではありません。

❀「見た目」の症状は恋愛にとってマイナスか

顔にアザがある青年に、ちょっと意地悪な質問をしたことがあります。「あなた自身はアザがある女性を好きになりますか？」と。すると、彼は少し考え、「たぶん、好きにならないと思う」と答えました。

理由をたずねたところ、「自分もそうだけど、アザがある人は陰気《いんき》で、ネガティブなことばかり言う人というイメージがある。実際、魅力的《みりょくてき》だと思える人に会ったことがない」と答えてくれました。そして、それからまた少し考えて、「でも、本当は当事者でも素敵《すてき》な人がたくさんいるってこともわかってる。明るくてポジティブな人たちとたくさん出会えたら、きっと自分の考えも変わると思う」と笑顔を浮《う》かべました。

「見た目」の症状が恋愛にまったく関係がないとは言いません。人柄がどうであれ、症状があるということだけでさける人がいるのは事実です。でも、その一方で、症状があることを何とも思わずにつき合う人たちもいます。

生まれつき体が変形している女性のパートナーは、「一緒にいて楽しい。彼女の発想はとても豊かで、すごくおもしろいから」とにこやかに語ってくれました。

❀生きることが、少し楽になった

「はじめに」でもふれたように、私は以前、顔にやけどを負った男性とつき合っていました。そして、そのことがきっかけで今の活動をするようになりました。

その彼には残念ながらふられてしまったのですが、別れるとき、彼から「君と会えて、生きることが少し楽になった」と言われたのです。「本当は自分の顔がすごくきらいで、あまり人にも見られたくなかった。だけど、君が僕の顔の症状をかわいい、大好きと言ってくれたので、あんまり見られたくないとか思わなくなった」と笑っていました。

そういえば、彼は以前はよくマスクを着けていたのですが、いつからか、あまりしなくなっていました。

「生きることが少し楽になった」という言葉は強烈《きょうれつ》に私の心に響《ひび》きました。

いったいこの人はどんな苦しみを背負って生きてきたというのでしょうか。私は恋人として一番近くにいたのに、何もわかっていなかったのです。もしもあのとき、「生きることが少し楽になった」ではなく、「つき合えて楽しかった、幸せだった」と言われたのなら、私はこの活動をしていなかったかもしれません。

学校の先生

先生の言葉に傷ついて

今でこそ「学校へ行かない」という選択肢《せんたくし》も認められつつありますが、それでもまだ日本では、ほとんどの人が義務教育である小中学校へ行き、多くの人は高校へ進学し、「学校」に通っています。子どもたちは学校でのさまざまな体験を通して成長しますが、良くも悪くも先生から大きな影響《えいきょう》を受けます。

残念なことですが、先生の言葉や態度でとても傷ついてしまった当事者もいます。赤ちゃんのころに顔にやけどを負った女性は、小学校でのつらいできごとを話してくれました。

理科の授業でアルコールランプを使った実験をしたときのことです。先生がクラス全体にむけて、「ふざけてると、○○みたいになるぞ」と彼女の名前を出して注意しました。クラスじゅうからどっと笑いが起こり、何人かの児童が彼女の方をふり返って見てきたそうです。「その瞬間《しゅんかん》に頭が真っ白になり、その後、何をどう実験したのか思い出せない。ただ、先生の言葉と教室じゅうが笑ったことは、四〇歳《さい》を過ぎた今でも鮮明《せんめい》に覚えている」と声をしぼり出すように話してくれました。ほかにも、先生から面と向かって「お前には未来がない」と言われた当事者もいます。

他方、悪意はなくても対応を誤ってしまう先生もいます。それまで見た目の症状を持つ生徒を受け持ったことがないため、どうしていいかわからないからです。

たとえば、当事者のなかには、初めて登校した日に突然《とつぜん》教室の前に立たされ、先生から症状について勝手に同級生たちにむけて説明された人もいます。

本人にしてみればかくしておきたかったかもしれないし、話すにしてももっと友人関係ができてから話したいと思っていたかもしれません。にもかかわらず、アウティング（本人の意思をまったく確認せずに暴露《ばくろ》してしまうこと）などけっしてしてはならないことです。

また、生まれつき手足が変形している女性は、小学生のころ、あきらかに症状のことでいじめられていたのに、担任の先生からは「症状のせいではなくて、あなたの目つきが悪いからだ」と言われました。彼女もそのときは自分の目つきが悪いのかと考えてはみたものの、やはり子ども心にも納得《なっとく》できなかったそうです。

クラスメイトからひどいことを言われて先生に相談したところ、「世の中には、目が見えない人も手足が動かない人もいる。あなたよりもっと大変な人もいる」とさとされた当事者もいます。

先生ははげましているつもりだったのでしょう。でも、彼はただ「つらかったな」と言ってほしかったのです。つらい思いをしていることを認めてほしかっただけでした。彼は「この先生には、もう二度と何も相談しない」と思ったそうです。そもそも、悩みや苦しみは誰かと比べるものではありません。

子どものころから脱毛の症状があった男性は、小学校の自画像を描《えが》く授業で先生から「教室にはり出すから髪の毛も描け」と言われました。ちょうどそのすぐ後に保護者参観があったので、先生なりに考えたのだとは思いますが、本人は「髪の毛のない自分は認めてもらえないのだとひどく傷ついた」と話してくれました。

❖ 先生は、もっとも身近にいる大人

一方で、当事者の言葉に耳をかたむけ、勇気づけ、力になってくれる先生もいます。

生まれつき赤アザのある女性は、クラスメイトからひどいことを言われていました。さわぎ立てて大ごとにはしたくなかったのですが、ただ黙って耐《た》えているのもつらくなって、あ

る日先生に打ち明けました。まだ新米の若い女性の先生でしたが、親身に話を聞いてくれて以来、様子を気にかけ、よく声をかけてくれたそうです。

第1部では小耳症《しょうじしょう》の西村さんが、担任の先生のおかげで学校ではいやな思いをせずに過ごせたと話してくれましたが、この赤アザのある女性もいつも先生が見ていてくれるという安心感もあって、しだいに学校生活になじんでいけたと言います。

第1部に出てきたアルビノの神原さんは、ひどいいじめを受けた経験はないものの、見た目のちがいをまわりと比べては、自分は劣《おと》っている存在だと悩んでいました。そんなときはよく保健室へ行って、保健の先生と他愛《たあい》もない会話をして過ごしたと言います。大人である先生から一人の人間として認められているように感じられ、そのときだけは自分を肯定的《こうていてき》にとらえることができたそうです。

いじめられて保健室登校をしたという人で、第1部で紹介した鹿島さんと同じ口唇口蓋裂の症状を持つ女性は、「いろいろと事情を聞かれたら、つらくて保健室登校すらできなかったかもしれない。先生が黙って受け入れてくれたことに感謝している」としみじみと語ってくれました。

また、今目の前に当事者の生徒がいなくても、先生自身の「見た目問題」との向き合い方で、生徒たちに影響を与《あた》えることもあります。

数年前のことですが、ある小学校で「見た目問題」について講演をしたときのことです。講演の後、校長先生が「先生は謝《あやま》ることがあります」と生徒たちに語りかけました。そして、「先生は小学生のころ、やけどの痕がある女の子に「梅干《うめぼ》し」と言ったことがあります。外川さんの話を聞いていてそのことを思い出しました。本当に申しわけないことをしたと反省しています」と話したのです。

今さら言わなければ誰にも知られることはありません。それなのに、校長先生は自分の過ちを素直《すなお》に認め、謝罪しました。私はこの校長先生のもとでなら、生徒たちは「見た目問題」を必ず理解し、おたがいを認めあう子に育つだろうと確信しました。

ほかにも、いそがしいなか時間を見つけて、私の講演を聞きに来てくれる先生方もたくさんいます。「以前、自分のクラスに当事者の生徒がいたが、そのときはうまく対応できず申しわけなかったと思っている。次にそういう生徒を受け持ったときに適切な対応ができればと思い、聞きに来ました」と声をかけてくれる先生もいました。

先生が変われば生徒たちも変わるはず。こんなふうに考えてくれる先生がいてくれたら、きっと当事者さんたちにとっても過ごしやすい学校になるでしょう。

❀もしも、先生の見た目に症状があったら

ところで、もし当事者自身が先生だったらどうでしょうか？　きっと子どもたちは、世の中にはいろんな人がいることを自然に感じてくれて、当事者とも普通につき合えるようになることと思います。

長年親しくしていて、今では一緒に講演することもある、生まれつき顔の骨が未発達のトリーチャーコリンズ症候群《しょうこうぐん》の男性は、大学で教員免許《めんきょ》を取得し、小学校へ教育実習に行ったときのことを話してくれました。

「たぶん担任の先生から事前に説明はあったと思うけど、それでも児童たちはおどろいた顔をして僕を見ていたんだ。なかには顔のことを聞いてくる子もいたけれど、みんな初日が終わるころには、もうすっかり慣れていたよ」

子どもだからこその柔軟性《じゅうなんせい》で、二、三〇分もすれば当事者の見た目に慣れてしまう様子は、私も小学校などで当事者さんと一緒に講演をするときに感じています。

また、このトリーチャーコリンズ症候群の彼は、「自分のような症状のある人間が学校の先生になれば、それだけでも意味があると思う。「世の中にはいろんな人がいる」というふ

うに子どもたちの意識を変えることにつながるから」とも言っていました。

同じ理由から、草野球のコーチになって子どもたちに教えている当事者もいます。

先生も言われなければ、わからない

先生が当事者のつらさに気づかず、生徒にしんどい思いをさせてしまっていることもあります。学校生活をもっと過ごしやすくするために、生徒のほうから先生に働きかけてみてはどうでしょうか。

たとえば、腕《うで》に生まれつきの赤アザがあって、そのアザを服でかくしたいと思っている生徒がいたとします。その思いを先生に伝えたら、たとえ制服で夏は半そでと決まっていても、その生徒の事情をくんで通年長そでを着ることを認めてくれるかもしれません。

同じように、脱毛症の生徒にカツラやバンダナの着用を認めてくれたり、プールや体育の着《き》替《が》えの際に個室を使わせてくれたりするかもしれません。

また、校則で化粧が禁止されていたとしても、アザをカバーして目立たなくするメイクは許可してほしいと頼《たの》んでみるのもいいと思います。顔に生まれつきアザがあっても登下校時に他人からジロジロ見られることがなくなり、きっと通学しやすくなるでしょう。

脱毛症で子どものころからカツラを使っていたという三〇代の女性は、「大浴場にみんなと一緒に入るのがいやで、修学旅行には一度も行ったことがない」と言っていました。修学旅行はただの旅行ではありません。大事な学校行事のひとつですし、クラスメイトたちとかけがえのない時間を過ごせるかもしれない。もしあなたの見た目に症状があって、同じような悩みを抱えているのなら、個室で入浴させてほしいと先生に話してみてはどうでしょう。すごく勇気がいることだけれど、その一歩は必ず次の一歩につながります。

どんなにつらくても、必ず出口がある

今、先生に相談してみることを勧《すす》めましたが、担任の先生に相談してもつらい状況《じょうきょう》が改善されないこともあるかもしれません。たくさんの生徒と関わってきた経験はあっても、先生は「見た目問題」のスペシャリストではないからです。先生も当事者への接し方に悩んでいることもあります。

そんなときは、まずゆっくりとまわりを見回してみてください。家族やほかの先生方、塾《じゅく》の先生など、誰か相談にのってくれそうな身近な大人はいませんか？　ほかにも、友だちや部活の先輩などに話してみるのもいいでしょう。みんなで確認しながら、あなたにとって最

善の方法を見つけてもらえたらと思います。

ただ、自分で行動を起こすのは勇気もいるし、簡単にできないこともあります。力になってくれそうな人が見つからない場合もあります。でも、学校はいずれ卒業します。だから、今、学校でうまくいかなかったとしても、つらい状況は永遠には続かないということを覚えておいてください。

そして、卒業してやがて大人になれば、自分で居場所を選ぶことができるようになります。あなたを理解してくれる人たちに出会える場所は、必ずあります。

医師

❖正しい情報を、適切な方法で伝える

学校の先生と同じくらい、当事者との信頼《しんらい》関係が大切なのは、医師でしょう。

「見た目問題」の当事者の多くは、症状を改善するための治療を受けます。生まれつきの症状であれば、それこそ、生まれたときから医師とのつき合いが始まります。少しでもよくなることを願い、何十年も治療を受け続けている人もめずらしくありません。

「見た目問題」の症状のなかには、患者数《かんじゃすう》が少なく、専門医でもないかぎり詳《くわ》しいことはわからないような症状もあります。そのため、誤った情報を伝えてしまう医師もいます。

ある生まれつきの症状がある当事者は、産院で「この病気の患者は、日本に二人しかいない。北海道に一人と、この子だけだ」と言われました。しかし、大人になってから自分で調べてみたところ、実際はもっと大勢いて、日本には数万人も同じ患者がいることがわかりました。

その人は「今ではもう笑い話だけど、両親は絶望したと言っていた。私も、まさかこんなにたくさんいるとは思いもしなかったので、同じ症状の人と会うなんて考えたことすらなかった。もっと早く出会えていたらと思うこともある」と話してくれました。

こんなふうに誤った情報を教えられてしまうと、たとえ悪意はなかったとしても、その医師を信頼することはできません。

その一方で、親御さんに正しく伝えようと医学書を見せて説明する医師もいます。それ自体は悪いことではありません。ただ、医学書には重篤《じゅうとく》な症状の写真が何枚も載《の》っているので、親御さんのなかにはおどろいてしまう人もいます。

たとえば、レックリングハウゼン病という生まれつきの病気によって、褐色《かっしょく》のアザや良性腫瘍《しゅよう》が体じゅうにあらわれる症状があります。関西に住むある親御さんは、子どもが生まれたときに、医師から詳しい説明もなく、いきなり医学書を見せられました。心の準備も何もないままにそれを見せられた両親は、重い症状の写真を目にして、「いずれ我が子もこんなふうになるのか」と、とてもショックを受けたそうです。

正しい情報を伝えることは大切ですが、伝え方にも配慮《はいりょ》してもらいたいものです。

また、大学病院などでは、担当医師が診察《しんさつ》の際に医学生を何人も連れてくることがあります。同じレックリングハウゼン病のお子さんを持つ別の親御さんは、「まるで子どもが実験動物になったような気がして、とてもいやだった」と言っていました。しかも、医学生にむけて「この病気は治らない」「症状が進むと、こんなふうにひどくなる」と説明されたのですが、親御さんはそのときにはじめて病気の厳しさを詳しく知り、二重の衝撃《しょうげき》を受けました。

稀少《きしょう》な症状であればなおさら、「医療《いりょう》の進歩のため、ひいては我が子の治療にとってもプラスになるかもしれない」と親たちは理解しています。事前にきちんと説明さえしてもらえれば、親御さんたちも納得してくれるはずなのに、こうした医師の行いは残念でなりません。

❀「当事者はつらい」という思いこみ

ところで、「家族のパート」(一三六ページ)で出てきた「必要な治療を受けられずに衰弱死した赤ちゃん」に関する医師のコラム記事には、もうひとつ、問題提起がなされていました。赤ちゃんの家族は、口唇口蓋裂という症状を持った赤ちゃんの顔を受け入れられずに治療を拒否したのですが、その家族の心情に共感した医師もいたのではないか、というのです。

医師は普段、治療を受けている当事者しか知りません。治療の大変さや家族の困惑《こんわく》しか目にしていなければ、「当事者の人生はつらいことばかり」と思いこんでしまうこともあるでしょう。もしかしたらこのコラム記事に書かれている医師たちは、赤ちゃんが幸せに生きていく姿を想像できなかったのかもしれません。

実際、まるでこのコラム記事で問題提起されたのと同じような医師の対応について、話を聞いたこともあります。ある母親は顔の広範囲《こうはんい》に赤アザがある娘さんを出産したとき、産院の医師から「今回はあきらめましょう」と言われたのだそうです。

そこまで極端《きょくたん》ではないにしても、見た目の症状がある赤ちゃんが生まれたとき、医師や看護師から「おめでとう」と声をかけてもらえなかったという人は少なくありません。

医師と信頼関係を築く

もちろん、治療後の当事者の生活やまわりの人たちとの関係性にまで思いをめぐらせ、患者の視点に立った診療《しんりょう》を心がけている医師もいます。

地方在住の知り合いの形成外科医《げかい》は、学会などで東京に来る機会に合わせて、最新の治療法について患者会で講演をしています。患者会のウェブサイトでわかりやすく症状の解説をするなどとても協力的で、患者たちも厚い信頼を寄せています。彼は「見た目問題」への理解も深く、「見た目も機能と同じように大事だ」と言い、治療法や治療後の様子などを患者側が納得いくまでていねいに説明してくれます。

また、ある親御さんは赤アザのある娘さんが生まれたとき、医師から治療の話だけではなく、カバーメイクや患者会などいろいろな情報を教えてもらいました。そのおかげで早くから患者会を通して仲間とも出会えて、子育てしていくうえでとても心強かったそうです。「娘も治療は受けていましたが、それだけに固執《こしつ》することもなく、人生を楽しんでいるようです」と医師に感謝していました。

この親子のように充実《じゅうじつ》した生活を送っている人たちもいますが、その一方で、なかなか信頼できる医師に出会えず、病院を転々とする当事者もいます。ただ、専門医といえども、必ずしも「見た目問題」に詳しいわけではありません。当事者が経験してきた困難や治療にかける切実な思いなどをよく知らなくて、そっけない受け答えをしてしまうこともあります。もし治療について少しでも違和感《いわかん》をもったり、気になることがあったりしたら、遠慮《えんりょ》せずに医師に聞いてみてください。質問を重ねていくうちに信頼関係を築くことができる可能性もあります。

たくさんの人を傷つけて

「恋人のパート」(一四八ページ)に書いたように、私は以前、「見た目問題」当事者の彼とお別れをしたとき、「君と会えて、生きることが少し楽になった」と告げられました。それは今でも私の活動の支えとなっています。

けれど、彼を傷つけてしまったのではないかと思うこともあります。たとえば、彼にどうして顔にやけどを負ったのか聞いたり、自分の顔を好きかと無遠慮《ぶえんりょ》にたずねたこともありました。無神経な質問で、今では我ながらよくそんなことが聞けたものだと思います。写真に写りたがらないのを知っていたのに、むりやり一緒にプリクラを撮ったこともありました。

「見た目問題」の活動をするようになってからも、当事者を傷つけたことがあります。

一〇年以上のつき合いのある、生まれつきほぼ全身に赤アザのある女性がいます。あるとき、彼女の症状にふれたときの感想を率直《そっちょく》に話したら、しばらくたった後、「あのときは傷ついた」と言われたのです。

彼女は言ってくれたからわかったものの、ほかにも私の言動によって傷ついた当事者はもっとたくさんいると思います。第1部に登場した小耳症《しょうじしょう》の西村さんも、私に「マイフェイスがやっているインターネットテレビ番組に出演してほしい」と声をかけられ傷ついたと話していましたよね。

さらに昔、私が小学生だったころ、クラスに鼻の横に大きなほくろのある女の子がいました。本人はとても気にしているようでした。でも、当時の私は「世の中にはもっと大変な人もいるのに、あのくらいでくよくよするなんて」と考えるだけで、彼女のつらさをわかろうともしませんでした。彼女とは小学校卒業以来会ったことはありませんが、今の私がこんな活動をしていることを知ったらどう思うでしょう。

私は、今でこそ「見た目問題」を解決しようと活動していますが、ちょっと前までは見た目の症状に対して気づかうことなどまったくできなかったのです。

そして、今でも自分では気づかないうちに当事者を傷つけているかもしれません。どんなに長く活動しても完全にわかるわけではないし、完璧《かんぺき》な人間でもありません。こうして本に書いたり、メディアに取り上げられたりした私の発言を目にして、腹を立てたりショックを受けたりする当事者もいるのでないかと、不安に思うこともあります。

でも、何もしなければ何も変わらない。傷つけることを恐れ、活動をやめるのではなく、失敗してもそこから学んで向き合い続けたい。そして、見た目に症状を持つ当事者さんたちが無理にがんばらなくても楽しく生きていける社会になるよう、これからも力を尽くしていきます。

いじめてしまった私　いじめられた私

いじめは人の心を深く傷つけます。被害者《ひがいしゃ》はいじめを受けたときだけではなく、何十年も苦しみ続けて、死へと追いやられてしまうこともあるほどです。

「見た目問題」においても、いじめはさけては通れないテーマです。ここではいじめてしまった側といじめられた側、双方《そうほう》の気持ちをお話ししてもらいます。

いじめてしまった私　松本史郎《まつもとしろう》さん(仮名)

私は今年で四五歳《さい》、市役所で働いています。中学生と小学生の娘《むすめ》、それと幼稚園《ようちえん》の息子《むすこ》の三人の父親です。

今から二五年ほど前、成人式を迎《むか》えた私は地元で開催《かいさい》されたセレモニーに参加しました。小中高校の同級生たちが多数参加していて、久しぶりの再会を喜びあっていました。そのなかに、山田和佳子さん(仮名)という中学のときに同じクラスだった女性がいました。彼女《かのじょ》は生まれつき顔の血管の病気で、これまで何度も手術をくり返したそうですが、中学生のころは病気のため上唇《うわくちびる》が大きく腫《は》れ上がっていました。

山田さんとは中学卒業以来会っていなかったのですが、成人式で偶然《ぐうぜん》彼女と会ったとき、私は彼女をいじめたことを思い出しました。といっても、何か具体的に印象深いできごとがよみがえったというよりも、彼女をいじめていた学校生活の記憶《きおく》が浮《う》かんできたという感じです。

私は勉強は得意ではないけれど運動はできた、よく言えば活発な子どもでした。どちらかというといじめっ子タイプだったと思いますが、かといって特定の誰《だれ》かをすごくいじめるようなことはありませんでした。山田さんは物静かだけれど明るい性格の子だったと思うのですが、あまり、彼女と話した覚えはありません。

あとで聞いたことですが、山田さんによると中学三年生のある日、授業で憲法の基本的人権について習ったときのことです。私は彼女に、「(お前は人間ではなく化《ば》け物《もの》だから)お前に基本的人権はない」と笑いながら言ったそうです。とてもひどいことを言ってしまい、今では本当に申しわけないと心から思うのですが、私はこのときのことをまったく覚えていません。

そもそも、私には山田さんをいじめていたという明確な記憶がありません。ただ、「見た目が普通《ふつう》とはちがう、変だ」と率直《そっちょく》に思ってはいました。

もちろん、学校ではいじめはいけないことで、病気や障がいがある人に対してそれをからかうようなことを言ってはいけないとも教わっていました。でも、子どもは単純です。頭ではわかっていても、見た目の症状《しょうじょう》というシンプルでわかりやすいことに対し、「変な顔だ」という直感的な思いが行動に出てしまったのです。

私だけではなく、おそらくクラス全体がそういう風潮だったのでしょう。そして、そういう雰囲気《ふんいき》のなか、私も彼女をいじめてしまったのだと思います。

一番残念なのは、そのときの自分は悪いとも思っていなくて、罪の意識がなかったということです。今思えば、人として最低最悪ですね。

ただ、どうやら山田さんをいじめていたのは私だけではなかったようです。今から五年ほど前、山田さんがいじめられた経験をもとに講演を始められたことが新聞に掲載《けいさい》されました。その記事をLINEで当時の同級生(男友達)たちに情報共有したところ、みんな「山田さんをいじめていたのは、自分ではないかと思った」と言っていました。

こんなふうに大勢のクラスメイトからいじめられていたのに、山田さんは泣きもせず、笑いもせず、平気を装《よそお》って学校生活を送っていました。今にして思えばすごいことなのですが、山田さんがあまりにも普通に生活しているので、私たちもいじめていることが日常となり、いじめていたこと自体覚えてすらいなかったのです。

成人式で山田さんに再会したとき、いじめていたことを思い出した私は、思わず「中学生のとき、いじめてごめんな」と声をかけたのですが、じつは山田さんをいじめたことをずっと後悔《こうかい》していて、強く謝罪したいと思っていたわけではありません。二〇歳《はたち》になり、小中高生のころよりもいろいろな価値観を手に入れていたために、謝罪できたのだと思います。端的《たんてき》にいうと、人生経験がそうさせたのです。

高校生になって異性とつき合い、そして大学生になって生まれ育った故郷を出て、全国から集まった同世代の友だちと交流する。そうすることによって、人はそれぞれ家族構成など生きてきた環境《かんきょう》も、たどってきた足跡《そくせき》もちがうことを知りました。大勢の考えにふれ、物事を一方向からだけ見ることの愚《おろ》かさに気づき、いかに今までの自分は小さい人間だったのか思いいたりました。

そういう経験を経て、自然と謝罪の言葉《ことば》が出たのだと思います。でも、本当なら大人になってそんな価値観を手に入れるよりも前に、子どものころからいじめをなくすことができればもっといいですよね。そうすれば山田さんを傷つけることもなかったし、大人になってから自分がやってしまったことを後悔することもなかったはずです。

それに、「いじめる側」にいる人間でも、誰もが「いじめられる側」になることがあります。私がそうでした。成人式で山田さんに謝罪した一年後、生まれて初めて私はいじめにあいました。

私は声が大きくてさわがしいほうなので、けっこう目立っていました。それをおもしろく思わない人たちから無視されるようになりました。大学生でもいじめがあるのです。

いじめにあったとき、あらためて山田さんに対して申しわけないことをしたと感じたことを今、思い出しています。結局、当事者にならないと人の痛みはわからないのかもしれません。

だけど、想像力を育むような教育を受ける機会があれば、人の痛みがわかるようになり、いじめをとめることはできるのではないか、とも思っています。もし過去に戻《もど》って山田さんをいじめている自分に声をかけることができるなら、私は「自分が逆の立場だったら、どう思う?」と問いたいです。

もうひとつ、自分がいじめられた経験から気づいたことがあります。私を無視していた人たちと卒業間際《まぎわ》に話をする機会があったのですが、そこで「おまえって、いいやつだったんだね。勘《かん》ちがいしてた」と言われました。私とろくに話もしたことがないのに、立ち居ふるまいだけできらいという感情をもったようです。話をするようになり、おたがいの性格がわかったら解決したのですが、自分のことをわかってもらえてうれしかったことを覚えています。

私の場合はちゃんと話し合っていなかったからいじめが起きたわけで、人って単純だなと気がつきました。そして、このとき私は見た目だけで判断されていた山田さんの気持ちが少しわかったような気がしました。

ところで、私たちが子どものころは、親と子どものふれあい方が今とはちがっていて、なぜ悪いのかという説明もなしに、頭ごなしにダメだと教えられてきました。

今はネット社会により情報が手に入りやすい時代です。私にも娘と息子がいますが、私のころとは比べものにならないほど容易に、かつ大量に情報を得ることができます。一方で、その分、まちがった情報やかたよった情報をもとに判断してしまう危険性も大きい。

そんなとき、大人が自分の経験を生かしながら、子どもたちに「こうしたら、こうなるのでは?」といった想像力を働かせるよう伝えていくことが必要なのではないでしょうか。想像力をたくましくして、相手の立場に立って物事を考える。同時に、おたがいを理解しあうためにはコミュニケーションをとることも大切だと伝えられたらと思っています。

私は子どもたちと一緒《いっしょ》に山田さんの講演に行ったことがありますが、子どもたちには私が山田さんをいじめてしまったことを正直に話しています。自分がいじめられていたこともエピソードのひとつとして普段《ふだん》から話しています。そんなことをしたからといって山田さんを傷つけたことは、けっして消えてなくなるわけではありません。ただ、少しでも私の想《おも》いが子どもたちに伝わってくれればと思っています。

私は市役所に勤めているので、仕事では地域の活性化を日々考えています。今後、外国の人がもっと大勢日本に住むことになるかもしれません。自分とはちがうからと外国人を排除《はいじょ》しても、何にも得はありません。いかにして仲良く暮らしていくかを考えています。「見た目問題」も同じですよね。たがいに知り合い、理解しあう、そして見た目のちがいをそのまま受け止める、そういう多様性を大切にする考え方が必要なのではないでしょうか。

今回、山田さんをいじめていたという自分の過去を公《おおやけ》の場で語り、みなさんに知ってもらおうと決意したのも、少しでもよい社会を築いていく役に立てればと思ったからです。

いじめられた私　山田和佳子《やまだわかこ》さん（仮名）

私はずっと、私をいじめた人たちをうらんでいました。毎日がみじめで、でも、自分がいじめられていることを知られるのはいやで、親にも先生にも言えませんでした。ただ心のなかに「私と同じ顔になればいいのに。不幸になればいいのに」という呪《のろ》うような感情を持ち続けていました。

だけど、成人式の日、松本さんが「いじめて、ごめんな」と謝《あやま》ってくれて、少しだけ心が軽くなりました。

本当は中学生のときに言ってほしかったけれど、こうして謝ってくれただけでもうれしかった。でも突然《とつぜん》そんなことを言われて、どうしたらいいのかよくわからず、なんとなく「もう気にしてないよ」と照れながら答えたのを覚えています。

すると、松本さんは「きみは昔から明るかったね」と言ってくれました。自分でも不思議なのですが、私はこの言葉を聞いて、うらみがすうっとなくなっていくのを感じました。彼《かれ》が私のことを「ただの変な顔をしたいじめの対象」としてではなく、「明るい子」という人格を持ったひとりの人間として覚えていてくれたことが無性《むしょう》にうれしかったからかもしれません。思えば、いじめた人たちをずっとうらんでいたのは、彼らに同じひとりの人間として扱《あつか》ってほしいという願いの裏返しでした。

そんなふうに思えたので、今はもう松本さんのことをうらんでいません。それに、いじめはいじめた子ひとりだけの問題ではないはずです。もしみんなが私の病気や苦しみについて知る機会があったなら、私はいじめられなかったかもしれない。そんな想いがあるからこそ、講演やイベントで自分の体験を語っています。

でも、だからといって、傷つけられたことはなかったことにはできません。私にぶつけられた言葉は大人になった今でも私につきまとっています。

私をいじめたのは松本さんだけではありません。保育園のころから「気持ち悪い」「バイキンがうつる」とさわがれました。小学校では上唇が腫れている私の症状の特徴《とくちょう》をとらえて、「あひる」と呼ばれていました。そのたびに私は、「あひるじゃない、私は人間だ」とくやしさでいっぱいでした。

だから、中学校で松本さんから「お前に基本的人権はない」と言われたとき、またも「人間ではない」とさげすまれたように思えて、絶望的なほどにショックを受けました。

そのようなこともあって、今でも鏡で自分の顔を見ているときに、ふと「お前に基本的人権はない」という言葉を思い出し、落ちこんでしまうことがあります。そんなとき、「私は人間だ。化け物じゃなくて、人間なんだ」と自分に言い聞かせています。

それでも、松本さんが成人式で謝ってくれたことには心から感謝しています。それがきっかけになり、「うらみ」という感情から抜《ぬ》け出すことができたからです。おかげで今では同窓会にも晴れやかな気持ちで出席することができます。もしうらんだままだったら、今のように同級生たちと楽しい時間を過ごすこともできなかったでしょう。

私は今、「自分を幸せにしたい」と思って生きています。いじめられ苦しんできたけれど、めげずにがんばって生きてきた自分のことを「よくがんばったね」とほめて、大切にしてあげたい。そんなふうに思っています。


【二人の話を聞いて】

山田さんは今では「見た目問題」をテーマとしたイベントを行ったり、講演活動をされたりしています。ほがらかで、一緒にいてとても楽しい女性で、思い浮かぶのはいつも笑顔《えがお》の彼女の姿です。山田さんは子どものころに受けたいじめに大人になってからも苦しんできましたが、松本さんからの謝罪を受けて、うらみという感情から抜け出し本来の自分を取り戻したように感じられます。

一方で、松本さんのほうは謝ってすっきりしたというわけではなく、いじめていたことを今ではすごく後悔しているからか、山田さんと顔をあわせるたびに気まずそうにしているとのことでした。松本さん自身も「山田さんを傷つけたことは、けっして消えてなくなるわけではない」と話しています。

読者のみなさんのなかに、誰かをいじめてしまったことがある人がいるかもしれません。そのことが忘れられず、ずっと後悔している人もいることでしょう。仮に忘れてしまっていたとしても、松本さんのように大人になってから思い出し、後悔し続ける人もいます。いじめはされる側だけでなく、する側の心にも傷を残すことがあるのです。

いじめと「見た目」

✿髪《かみ》の毛がないだけで

あなたも私も、誰もがいじめられる可能性があります。これまでいじめられなかったからといって、今後もずっと無事でいられる保証はありません。ただ、見た目に症状がある人たちは、よりいじめのターゲットになりやすいのです。

第1部、第2部と、たくさんの当事者たちを紹介《しょうかい》してきました。彼ら・彼女らのなかにもいじめられてつらい思いをした人はいます。

脱毛症《だつもうしょう》の町山さんは子どものころから「ハゲ」と呼ばれ、からかわれてきました。同じく脱毛症の森田さんは、学校の廊下《ろうか》で突然写真を撮《と》られるといういやがらせを受けました。

「友人のパート」(一四三ページ)で登場した、自分の幼なじみに「こんな私と友だちになってくれる変わった人」と私を紹介してくれた女性は、生まれつきの病気で片目がうまく開きません。そんな彼女のことをクラスメイトは「お岩《いわ》さん」「うつるから近寄るな」と言っていじめ、暴力もふるったそうです。彼女は、中学一年生のときに、トイレに閉じこめられてホースで水をかけられ、ついに耐《た》えられなくなって不登校になりました。今、彼女は三六歳ですが、「母校の制服を着た子を見ると恐怖《きょうふ》でふるえてしまうので、なかなか地元に帰れない」とさびしそうでした。

そんな彼女に「友だち」と認めてもらえて、私は素直《すなお》にうれしかったです。

ほかにも、「化け物」「バイキン」とバカにされたり、汚《きたな》いものでも見るように扱われたり、「気持ち悪い」と目の前で吐《は》くまねをされた人もいます。

教室で話しかけてくれる人もいない、フォークダンスでは誰も手をつないでくれない、遠足でも修学旅行でもひとりぼっち。「その顔でよく生きていられるな」「自分だったら、自殺する」なんて、わざわざ言う必要がありますか？

そのような暴言をはいた人自身が事故や病気で突然、当事者になることもあるのです。髪の毛がないだけ、顔にアザがあるだけ、顔が左右対称《たいしょう》じゃないだけ、ただそれだけです。こんなにひどいことをされる理由にはなりません。

「いじめ」では済まされない

いじめもけっして見過ごせない問題ですが、ときには「いじめ」という言葉では済まされないこともあります。

アトピー性皮《ひ》膚《ふ》炎《えん》は強いかゆみをともなう症状で、引っかいてしまうことで皮膚が炎症《えんしょう》を起こしたり黒ずんだりします。子どものころからアトピー性皮膚炎を患《わずら》っている三〇代の女性は、飲食店で接客サービスのアルバイトに就《つ》いていました。勤務シフトの関係で生活が不規則になり、そのストレスからか症状が悪化してしまったのですが、そのときに店長に「お客さんからクレームがくると困るので、辞《や》めてほしい」と一方的に言われ、解雇《かいこ》されてしまいました。

また、ある三〇代の男性は、白斑《はくはん》という肌《はだ》の一部が白く脱色《だっしょく》してしまう症状がほぼ全身にあるのですが、スポーツジムでプールを利用しようとしたら、施設側《しせつがわ》から「ほかのお客様にうつったら困る」と拒否《きょひ》されたそうです。白斑は伝染《でんせん》することはないのですが、彼が症状についていくら説明しても、施設側は「とにかく困る」の一点張りで、態度を改めることはありませんでした。

このような対応は誤解や偏見《へんけん》に基づいた差別的な行為であり、許されることではありません。もちろん、すべての飲食店や施設がこうではありませんが、一度でも拒否される経験をしてしまうとこわくなって、人と関わることに積極的になれない当事者の気持ちも理解してほしいのです。

✿大切な人を傷つけられて

いじめとは少しちがいますが、私にもこんな経験があります。この本でも何度かふれましたが、私は以前、顔にやけどを負った男性とつき合っていました。

ある日のことです。デートで横浜《よこはま》を訪《おとず》れ、お店のディスプレイを眺《なが》めながら街を歩いていました。いつの間にか彼の後ろを私が歩くような形になり、なんとなく二人の間に距離《きょり》が空いたときのことです。私の目の前に、濃紺《のうこん》のブレザーの制服を着た女子高生が二人、すっと入ってきました。そして、「ねえ、前の人の顔、見た？」「見た、見た」とささやき合ったのです。

私は思わず二人をにらみつけてしまいました。すると、私の視線に気づいた二人は、バツが悪そうにどこかへ行ってしまいました。

このときの私にとって、彼はとても大切な存在でした。だから、彼がそんなふうに扱われたことが許せなかった。今でも忘れられない光景です。

よく「いじめられた側はいつまでも覚えているけど、いじめた側は忘れてしまう」と聞きますから、きっとこの女子高生たちは、彼の顔もこのときのできごとも忘れてしまったことでしょう。以前の私でしたら怒《いか》りが強すぎて、「忘れる」ということ自体、許せなかったと思います。

ただ、大人になっていろいろな経験を積んだ今では、こんなふうに考えています。いじめられた人にとっては死ぬほどつらいことでも、いじめた人にとっては「他人事《ひとごと》」でしかなく、日々の生活のなかで起こるさまざまなできごとにまぎれこみ、流れ去ってしまうことが多いのだと。

だからといって、いじめはけっして許せないし、簡単に忘れてしまうことには腹が立ちます。ただ、私だってもしかしたら忘れてしまっているだけで、誰かを傷つけたことがあるかもしれないと思うこともあるのです。

✤「いじめ」と「いじり」

ところで、「仲が良ければ多少ひどいことを言っても許される」という考え方があります。俗《ぞく》に言う「いじり」です。

「いじめ」と「いじり」のちがいは、その内容ではなく関係性です。「ほかの人に言われたらいやだけど、この人に言われたなら笑える」という親密な関係にあるときだけ、「いじり」

は成立します。

ただし、いじりだからといって、何を言ってもいいわけではありません。

生まれつきの症状で顔の片方がふくらんでいる女性は、小学五年生の理科の授業で「生命の誕生」について習ったとき、クラスの男子から「おまえは母親のお腹《なか》のなかでちゃんと育たなかった失敗作」と言われたそうです。その男子とは仲が良く、おたがいにいつもキツめの冗談《じょうだん》を言い合っていたので、そのときも「いつものいじり」と受け流していました。

ところが、それを聞いた担任の先生は「なんてことを言うんだ。絶対に言ってはいけない」と彼を叱《しか》りつけました。軽い気持ちで言った男の子もほかのクラスメイトもみんな、びっくりした様子でしたが、彼女自身が一番おどろいていました。

というのも、当時の彼女は「自分はこんな顔をしているのだから、ひどいことを言われても仕方がない。仲良くしてもらうために必要なコミュニケーションだ」と受け止めていたからです。彼女は「このとき初めて、笑って許してはいけないことがあると教えてもらった。自分で自分を大切にすることに気づかせてくれた」と先生に感謝していました。

この話には続きがあります。後日、学年全員を集めて先生は、男の子を責めることはせずに車いすの少年の話をモチーフにしながら、世の中にはいろんな人がいてさまざまな困難にぶつかっているという話をしたそうです。

その後も先生は教室で、彼女のことを「何回も手術をしてるんだぞ。すごいなあ」とほめたり、ほかにも障がいのある人の話や、ひとり親家庭の子やきょうだいを亡《な》くした子の話など、普通の授業では教わらないことを折にふれて話題にしてくれたと言います。

もし先生が叱っただけで終わりにしていたら、子どもたちは叱られた理由を深く考えることもなく、「見た目のことは絶対にふれてはいけない」という誤ったイメージだけが残ってしまったかもしれません。このできごとはクラスメイトにとって、「いろんな子がいるのだ」と考えるきっかけになったはずです。

✤想いをつなげる

いじめの体験を語ってくれた山田さんは、自分がいじめられた話を講演やイベントでしていますが、じつは、自分をいじめていた人が反省し謝罪してくれたにもかかわらず、いつまでも加害者として扱ってしまっていることを申しわけないとも思っています。山田さんは彼を責めたいわけではなく、いじめをなくしたいだけだからです。

そんな山田さんの気持ちが伝わったからこそ、今回、いじめた側の松本さんもお話しすることに協力してくださったのかもしれません。自分がいじめていたという話をするのはとても勇気の要《い》ることだったはずです。

山田さんはいつも、「想いを受け取ってくれる人がいるから、続けられる」と言っています。今回も松本さんが山田さんの想いを受け取り、みなさんへつなげてくれました。この二人の話をみなさんなりに考えて、いつかみなさんが大人になったときに、次の世代の子どもたちへとつなげていってくれたらうれしいです。

コラム2

「うつらなければ…」「遺伝しなければ…」、それでいいの？

「見た目問題」における誤解でとくに多いのは、「うつる病気ではないのか」ということです。症状《しょうじょう》部分の肌《はだ》の色や質感などの状態からそう思われてしまうのですが、じつは「見た目問題」において、ほとんどの症状は感染《かんせん》しません。

誤った情報が偏見《へんけん》や差別につながることも多いので、正しく知ってもらうことは大切です。「この症状はうつらない」と説明し、誤解を解けば、相手の不安を取り除くことができます。

でも、うつらなければそれでいいのでしょうか？

「見た目問題」の症状のなかでもごく一部ですが、うつるものもあります。ただし、感染率がとても低かったり、適切な治療《ちりょう》をすればうつらなくなるものがほとんどで、現代の医療《いりょう》技術や防疫《ぼうえき》技術があればこわがる必要はありません。

ですから、偏見や差別を生じさせないためとはいえ、「うつらない」ことをことさら強調することには違和感《いわかん》を覚えます。

同じような違和感を抱《いだ》くことがもうひとつあります。「遺伝するのかしないのか」ということです。「見た目問題」の症状のなかには、遺伝するものとそうでないものがあります。たとえば、この本に何度も出てくる生まれつきの赤アザ(単純性血管腫《けっかんしゅ》)は遺伝しません。口唇口蓋裂《こうしんこうがいれつ》も脱毛症《だつもうしょう》も遺伝しません。

にもかかわらず、子どもに遺伝したら困るという理由で相手方の家族から結婚《けっこん》に反対されることも少なくありません。そんなときは、医学的事実として遺伝しないことを伝え、それで家族の理解が得られるのであればそれに越《こ》したことはありません。

では、遺伝する症状の人はどうすればいいのでしょうか? たとえば、生まれつき色素がないアルビノは遺伝性の症状です。ただ、第1部の神原さんのところでも説明していますが、遺伝性とはいっても、アルビノとそうではない人との間にアルビノの子どもが生まれる確率は、わずか一%にすぎません。ですから不必要に心配をあおることはないのですが、〇《ゼロ》%ではないこともまた事実です。

先述したように、アルビノに限らず遺伝する症状を持つ当事者さんたちのなかには、まわりから結婚や出産を反対されたり、自らためらってしまう人がいます。

もしもそんな人たちから相談されたら、どうすればよいのでしょうか? もし私だったら、まずは本人の意思を確認します。結婚したいのかどうか、子どもを産みたいのかどうか。本人の望みを聞いて、それがかなえられるようできる限り力になります。

でも、本人もどうすればいいかわからず、迷っていたらどうでしょうか？　とにかく「大丈夫《だいじょうぶ》だよ、気にするな」とはげましますか？　事情もよくわからないのに、それはちょっと無責任のような気がします。

悩《なや》んで当たり前なのです。遺伝するかどうかは自分ではコントロールできません。だからこそ思い悩んでしまうのです。ただ、悩んだその先でどう答えを見つければいいのか……？

二〇年近く「見た目問題」の当事者たちを支援《しえん》する活動をしてきた私でも、明確な答えはわかりません。結婚してもしなくても、出産してもしなくても、これが正解ということはないのだと感じています。どの道を選んでもいい。家族や友人関係、環境《かんきょう》、立場、時代、年代、性格など、みんなそれぞれいろんな背景があるのだから、その人にとってベストだと思う道を選べればいいのです。

きっと、どの道を選んでも困難にぶつかるでしょう。だから、私たちは彼《かれ》ら・彼女《かのじょ》らが困ったときに、いつでも相談してもらえる存在でありたいと努力しています。

おわりに

私は「下町《したまち》」と呼ばれる東京都墨田区《すみだく》に生まれ育ちました。数年ほどはなれたことはありますが、人生のほとんどをここで過ごしています。

私が子どものころには、家のまわりを走り回る子どもたちの声が絶えることがありませんでした。ほかにも、井戸端《いどばた》会議に花を咲《さ》かせている近所のおばさんたち、テレビの音、食事の支度《したく》など、そこかしこからいろんな音が聞こえてきてとてもにぎやかでした。商店街も今よりずっと活気があって、八百屋《やおや》や魚屋といった個人商店も軒《のき》を連《つら》ねていました。母親の代わりにおつかいに行くと、八百屋のおじさんが「おまけだよ」とみかんを一つ余計にくれる。そんな風情《ふぜい》があふれている町でした。

墨田区は「ものづくりのまち」を公認しているだけあって、最盛期《さいせいき》に比べると三分の一ほどに減ってしまったとはいえ、従業員が五人にも満たない町工場《まちこうば》が今もたくさんあります。

私の両親も職人でした。父は、父の弟ともうひとりの工員さんと三人で営む小さな町工場で、真冬でも汗《あせ》だくになって、金属を加工していました。母はメリヤスという伸縮性《しんしゅくせい》のある生地《きじ》で洋服をつくる会社で、ミシンを踏《ふ》んでいました。

私の通っていた小学校は花街《はなまち》と呼ばれる料亭街《りょうていがい》のど真ん中にあって、よく下校時間にきれいに着《き》飾《かざ》った芸者さんたちとすれちがったものです。家が「政治家やハリウッドスターが来るような由緒《ゆいしょ》ある料亭」なんて友人もいました。

そういう地域でしたので、住んでいる人たちは会社勤めの人が多かったけれど、私の両親のような町工場の工員やバーやスナック、風俗店《ふうぞくてん》で働いている人もいました。ひとり親家庭もめずらしくなかったし、お金持ちもいればあまり裕福《ゆうふく》ではない家もありました。

雑多な人たちが暮らしている町だったので、私は子どものころから、「世の中にはいろんな人がいる」ことを肌《はだ》で感じていました。そして、親や学校の先生や近所のおじさんおばさんといった大人たちから、常日ごろ、「親の職業は子どもの力では変えることができない。だから、そういうことを理由に友だちをバカにするのは、卑怯者《ひきょうもの》のすることだ」と教わって育ちました。このような環境《かんきょう》が私の人権感覚に大きな影響《えいきょう》を与《あた》えたのだと思います。

でも、大人になるにつれてそんなきれいごとばかりではないことにも気がつきました。大勢の人たちが人種、生まれ、国籍《こくせき》、性別、年齢《ねんれい》など、努力してもどうにもできないことで差別されています。

差別は世界じゅうのいたるところで起きていますが、「見た目問題」の活動を始めるまでの私は「そういう問題もあるよね」と思うくらいで、ほとんど関心がありませんでした。けれど、恋人《こいびと》が理不尽《りふじん》な扱《あつか》いを受けたことがきっかけで、どこか遠い世界のできごとだった問題が一気に自分ごととなり、そうしたら私の内側から「見た目のちがいで差別されるなんて、納得《なっとく》がいかない」という思いが自然にわいてきました。そして、子どものときに培《つちか》った人権感覚がむくむくと頭をもたげてきて、恋人と別れた後も「見た目問題」に対して見て見ぬふりができなくなってしまいました。

気づけば、活動にたずさわるようになってから二〇年が過ぎようとしています。

じつは、これまでに一度だけ活動をやめたいと思ったことがあります。マイフェイスを立ち上げる前、見た目に症状《しょうじょう》を持つ当事者たちの体験談などを発信していた団体にいたころの話です。団体に入ってから三年目、私は事務局長に就任しました。当時、団体の主要メンバーは一〇人ほどいましたが、私以外はすべて当事者か当事者の親御《おやご》さんでした。そのような状況《じょうきょう》で、私は「当事者ではない」ことを必要以上に意識し、しっかりやらなければいけないと意気ごんでいました。あまりに気負いすぎたのでしょう。私は半年ほどで疲《つか》れ果ててしまい、「事務局長をやめさせてほしい。活動もやめたい」と申し出ました。

すると、主要メンバーのひとりで、ほぼ全身に赤アザのある女性は、私を一切《いっさい》非難することなくこう言ってくれたのです。

「これまでがんばってきてくれてありがとう。みんな感謝してるよ。引《ひ》き継《つ》ぎに少し時間がかかると思うから、その間はとにかく楽しんで。せっかく出会えたんだから、私たちに会えたことを楽しんでほしい」

彼女の言葉を聞いたとたん、こり固まっていたものがすうーっと溶《と》けて、急に目の前が明るくなりました。

たしかに、当事者さんたちから聞く体験は厳しいことばかりだったけれど、問題を解決しようといろんなことに夢中になって挑戦《ちょうせん》していました。「見た目問題」について熱く語り合い、ときに衝突《しょうとつ》しながらもみんなと一緒《いっしょ》に過ごした時間は本当に楽しかった。それなのに、私は「事務局長になったのだから、これくらいできなくてはいけない」と自分にプレッシャーをかけ、ひとりで仕事を抱《かか》えこみ、勝手に疲れ果てていたのです。

私はすぐに考え直して、事務局長を続けることにしました。以来、「活動を仲間とともに思う存分楽しもう」と心に決めています。

この本をみんなで協力してつくり上げたことも、とても楽しかったです。といっても、ただ気楽に、おもしろおかしくつくれたわけではありません。

当事者さんたちに、家族やパートナーとのデリケートな話や思い出したくもないいやなことを聞かせてもらうのは、なんだかとても申しわけなく思いました。親にも話したことがないようなことまで話してくれた人もいます。本当にありがたいです。

取材を進めていくうちに、「あのとき私は当事者さんを傷つけていた」ということをはじめて知った場面もありました。自分の配慮《はいりょ》に欠けた言動にはあきれるばかりです。「見た目問題」に無理解な人たちに対する怒《いか》りが自分のなかにくすぶっていたことに気づいたときは、我ながらおどろきました。

ときには、せっかく聞かせてもらった話をどう伝えたらいいのか悩《なや》み、なかなか原稿《げんこう》が書けずに周囲の人たちに迷惑《めいわく》をかけてしまったこともありました。

そういう苦しい思いまで全部ひっくるめて一緒につくり上げたことが楽しかったのです。

ところで、私たちは二〇一七年に『顔ニモマケズ』(水野《みずの》敬也《けいや》著、文響社《ぶんきょうしゃ》)という「見た目問題」の当事者さんたちを取り上げた本の出版に協力しました。著者の水野さんがこの本を書こうと思ったきっかけは、ご自身が「醜形恐怖《しゅうけいきょうふ》」という心の病に苦しんだ経験からでした。思春期のころ、「自分の顔が異常にむくんでいる」という思いにとらわれ、一日じゅう顔のむくみばかり気にしていたそうです。

また、「昔、クラスメイトに当事者がいたから」という理由で、私の講演を聞きに来てくれる人もいます。私だってたまたま元カレが当事者だったというだけです。

そんなふうにふとしたきっかけで「見た目問題」と出会い、興味を抱《いだ》いてくれる人たちを二〇年近くの活動のなかで何度も見てきました。みなさんが本書を手に取ってくれたのも何かの縁《えん》。「見た目問題」により深く関心をもってくれたらうれしいです。

本書は五年もの歳月《さいげつ》をかけて、たくさんの人たちの協力のもとに書き上げることができました。私はこれまでの活動を通じて、大勢の当事者さんたちに出会いました。数えたことはありませんが、おそらくのべ数千人の当事者さんとお会いしていると思います。ひとりひとり見た目が異なるように、生き方も人それぞれです。たとえ同じ症状でも、まったくちがう道を歩んでいます。語り尽《つ》くせないほどたくさんの人生に出会ってきました。

本書の登場人物は患者会《かんじゃかい》で活動していたり、講演を行っているような人もいますが、なかにはメディアに一度も出たことがなく、ごく普通《ふつう》の暮らしをしている人もいます。じつは、講演など人前に出る活動をしていない方に声をかけるのは、少し迷いがありました。平穏《へいおん》な暮らしに波風を立ててしまうような気がしたからです。

というのも、「見た目問題」は未《いま》だ社会から理解されているとは言い難《がた》く、当事者への差別や偏見《へんけん》はたくさんあります。そのため、家族への影響を考えて、本書には匿名《とくめい》で登場している方もいます。そういう方もみな「自分の話が誰《だれ》かの役に立てるなら、とくに子どもたちのためになるなら喜んで!」と、快く話を聞かせてくれました。みなさんの協力なくしては、本書の完成はありませんでした。心からお礼を言いたいです。

表紙のイラストを描《えが》いてくれた鈴木望《すずきのぞみ》さんにも心から感謝しています。鈴木さんはご自身の顔に太田母斑《おおたぼはん》という青アザがあり、自分のこれまでの体験と向き合いながら『青に、ふれる。』というマンガを描かれています。今回、本書の原稿をすべて読んで、心にわいたイメージをマンガのキャラクターを交えてイラストにしてくださいました。

マイフェイスのアドバイザーでもある朴基浩《パクキホ》さんは、すぐになまけてしまう私をあの手この手でなだめすかし、企画《きかく》を推《お》し進めてくれました。朴さんがいなかったら、まだ書き始めてすらいなかったかもしれません。それから、マイフェイス設立当初から二人三脚《ににんさんきゃく》で歩んでくれた実弟《じってい》のチーフこと外川正行《とがわまさゆき》さん。マイフェイスでは影《かげ》の立役者《たてやくしゃ》ですが、チーフがいなかったら、当事者さんたちとの信頼《しんらい》関係もここまでつくれなかったと思います。

本書の企画編集を担当してくれたのは岩波書店の塩田春香さん。たびたび袋小路《ふくろこうじ》に入りこんでしまう私に、「浩子さんが感じたことを書いてくれれば大丈夫《だいじょうぶ》です」とはげまし続けてくれた塩田さんには、どれほど感謝してもしつくせません。

そして、ちょうど原稿を書き終えたころ、親しくしていた当事者さんの訃報が届きました。お名前は出ていませんが、本書にも胸を突く体験談を寄せてくださった彼女とは、できた本を手に取って喜びを分かち合いたかった。これからも私が「見た目問題」と向き合い続けることで、彼女の思いに報いようと心に誓っています。

読者のみなさん、最後まで読んでくれてありがとうございます。「見た目問題」というテーマはあまり耳にしたことがなかったかもしれません。にもかかわらず関心を持ち、本を手に取ってくれたことに、感謝の気持ちでいっぱいです。本書には、見た目に症状を持つ大勢の人たちと共有してきた想《おも》いをパンパンにつめこみました。問題解決の第一歩は、まず知ってもらうことです。みなさんが「見た目問題」にふれてくれたことで、解決への道がさらに広がりました。本当にありがとう。

そして、いつかどこかで見た目に症状を持つ人と出会ったら、本書に登場している人たちのことを思い出してみてください。

さて、「はじめに」で、講演を聞いた人から「私は気にしていません」と言われてがっかりしたという話を書きましたが、あなたはこの「おわりに」まで読んできて、なぜ「がっかりした」のかわかりましたか？

この問いに対する答えを私は明確にはここに書きません。それは私が出した答えであって、あなたの答えではないからです。自分なりに考えて、自分の答えを見つけてほしいと思います。

ただ、「あなた」が気にするかどうかにかかわらず、現に見た目に症状を持つ人たちに対する偏見や差別は起こっています。けっして当事者たちの考えすぎや気のせいなどではありません。「見た目問題」に苦しんでいる人たちがいるということに気づいてほしい。私たちが伝えたいのは、そういうことです。

2020年1月に開催した写真展「無自覚なボクが、いま言いたいこと」会場にて（撮影：富樫東正）

付録　おすすめの本・映画

活動にたずさわるようになってから今日までの二〇年近くの間に、「見た目問題」に関する本や映画にもたくさん出会ってきました。当事者自身や親御《おやご》さんの体験談、ジャーナリストや研究者によるノンフィクション、当事者が登場人物の小説やマンガ、そして絵本など、多岐《たき》にわたっています。

そのなかで、私の心がふるえた、とくにおすすめの作品を選んでみました。

1．ノンフィクション

『顔ニモマケズ――どんな「見た目」でも幸せになれることを証明した9人の物語』水野敬也（二〇一七年／文響社）

見た目に症状《しょうじょう》を持つ男女九人へのインタビュー集。困難にぶつかりながら、それぞれのやり方で幸せをつかんでいく過程が描《えが》かれています。悩《なや》みと向き合い、苦しみをごまかさない。そんな九人の生き方には幸せに生きるヒントが満載《まんさい》です。

100万人の「見た目問題」総合情報誌『マイ・フェイス』 NPO法人マイフェイス・マイスタイル（vol.001〜006：二〇一〇年四月〜一一年八月）

日本で唯一《ゆいいつ》の「見た目問題」専門の情報誌です。マイフェイスが取材、執筆《しっぴつ》、撮影《さつえい》、編集をすべて行いました。「ページを開けばいつでも仲間に会える」、そういう思いをこめています。現在は電子書籍《でんししょせき》のみ。

『僕《ぼく》は髪《かみ》の毛が少ない』 新井キヒロ（二〇一二年／メディアファクトリー）

二〇代半ばから髪が薄《うす》くなり始め、スキンヘッドにするまでの数年間を描いた自叙《じじょ》マンガ。新井さんは、いわゆる「若ハゲ」ですが、髪が抜《ぬ》けていくときの心の変化や、悩んだすえに「ハゲと共存する道」を選んだ生き方は、脱毛症《だつもうしょう》の当事者に通じるものがあります。現在は電子書籍のみ。

『見つめられる顔――ユニークフェイスの体験』石井政之・松本学・藤井輝明（編）（二〇〇一年／高文研）

見た目に症状がある人たちと家族による体験談集です。その身に起こったできごとだけではなく、家族や友人との葛藤《かっとう》や複雑な胸の内まで赤裸《せきら》々《ら》につづられています。この本に出会わなければ、「見た目問題」に関わることはなかったでしょう。私の活動の原点です。

『顔にあざのある女性たち――「問題経験の語り」の社会学』西倉実季（二〇〇九年／生活書院）

顔にアザがある三名の女性のライフストーリーを軸《じく》として、八年間にもおよぶ調査研究の成果をまとめた一冊です。彼女《かのじょ》たちの経験や苦しみを克明《こくめい》に追い、時間や環境《かんきょう》による変化の過程をていねいに分析《ぶんせき》しています。著者の熱意がふつふつと伝わってくる力作です。

『もっと出会いを素晴《すば》らしく――チェンジング・フェイスによる外見問題の克服《こくふく》』ジェームズ・パートリッジ（著）、原田輝一（訳）（二〇一三年／春恒社新書）

一八歳《さい》の冬、交通事故で全身に大やけどを負った著者ジェームズが、入院中、そして退院後に自身に起こったできごとを詳細《しょうさい》に解説。著《いちじる》しく変わってしまった容貌《ようぼう》でどう生きていけばいいのかを「新しい顔とつき合う技術」としてアドバイスしています。

『顔面麻痺《がんめんまひ》』ビートたけし（一九九七年／幻冬舎文庫）

一九九四年のバイク事故で瀕死《ひんし》の重傷を負い、一命はとりとめたものの後遺症で顔の右半分に麻痺が残ったビートたけしさん。「顔面麻痺に向かい合っていく主導権を自分の手にしたかった」という彼のひとことには奮い立ちました。

『打倒《だとう》！円形脱毛症　私、ピカピカの一年生』小豆だるま（二〇一二年／角川書店）

三〇代半ばで脱毛症を発症した小豆だるまさんの、哀《かな》しくもおもしろい闘病記《とうびょうき》ギャグマンガです。どうしても髪が抜けていく現実が受け入れられない。そのあがきっぷりがリアルで、思わず「がんばれ！」と声をかけたくなりました。現在は電子書籍のみ。

2. ものがたり

『ワンダー Wonder』R・J・パラシオ（作）、中井はるの（訳）（二〇一五年／ほるぷ出版）

生まれつきの病気で人とは異なる顔をした一〇歳の少年オギー。物語は「自分がふつうの一〇歳の子じゃないって、わかってる」という彼の言葉《ことば》から始まります。まわりとの関係のなかで葛藤しながら成長するオギーの姿を通して、人と人のつながりの大切さが伝わってきます。

『もうひとつのワンダー』 R・J・パラシオ(作)、中井はるの(訳)(二〇一七年/ほるぷ出版)
『ワンダー』のスピンオフ作品。いじめっ子ジュリアン、幼なじみのクリストファー、優等生のシャーロットの三人が、オギーの存在によって変わっていく姿が描かれています。とくにジュリアンの章はおすすめで、人間はあやまちから学ぶことができるし、誰《だれ》もがその可能性を秘《ひ》めているということを感じました。

「世界の終わりという名の雑貨店」(小説集『ミシン』収録) 嶽本野ばら(二〇〇七年/小学館文庫)
「世界の終わり」という名の雑貨店を始めた青年と、顔の右半分に大きな黒いアザを持つ少女の哀しい恋《こい》の物語です。少女はいつも、とても派手なヴィヴィアン・ウエストウッドの洋服を全身にまとっているのだけれど、服のもつ雰囲気《ふんいき》と顔のアザが絶妙《ぜつみょう》にマッチしていて、少女にとてもよく似合っているように思います。

『海のふた』よしもとばなな（二〇〇六年／中公文庫）

短大を卒業後、故郷でかき氷屋を始めた「まり」。その夏、母の友人の娘《むすめ》「はじめ」がやってきて、まりの店を手伝います。じつは、はじめは火傷《やけど》で右半身がまだらに黒くなっているのですが、それは、はじめというキャラクターの特徴《とくちょう》のひとつでしかない。見た目の症状に特段の意味をもたせないところにとても好感を持ちました。

『青に、ふれる。』鈴木望（第一巻：二〇一九年七月、第二巻：二〇二〇年二月、以後続巻／双葉社）

本書の表紙イラストを描いてくれている鈴木望さんの作品です。主人公は生まれつき顔に太《おお》田母斑《たぼはん》という青いアザがある女子高生、青山瑠璃子《あおやまるりこ》。人の顔を判別できない相貌失認《そうぼうしつにん》という障がいを持つ担任教師との青春ラブストーリーです。せつない恋あり、熱い友情ありで目が離せません。著者の鈴木さんはご自身も瑠璃子と同じ症状を持っていることもあって、世界観がとてもリアルです。

「口唇口蓋裂《こうしんこうがいれつ》」(『コウノドリ』第六巻に掲載)鈴ノ木ユウ(第六巻:二〇一四年九月/講談社)
産科医でジャズピアニストでもある鴻鳥《こうのとり》サクラが主人公の医療《いりょう》マンガ『コウノドリ』のなかの一話。胎児《たいじ》が口唇口蓋裂だとわかり、自分のせいではないかとうろたえる母親に対して、そうではないと優《やさ》しく、けれどきっぱりと告げる鴻鳥。現実もこうであってほしいです。

3. 絵本

『チーちゃんのくち』わたなべまみ(作)、日本口唇口蓋裂協会(監修)(二〇〇五年/口腔保健協会)
わたなべさんは口唇口蓋裂の娘さんを持つ母親で、「娘が自分の症状のことを不思議に思ったとき、楽しく理解してもらいたい」という思いからこの作品をつくったそうです。口唇口蓋裂に限らず、親御さんがお子さんに症状のことを伝える助けになることと思います。

『ぞうのエルマー』デビッド・マッキー(作)、きたむらさとし(訳)(二〇〇二年/BL出版)
灰色をした象の群れのなかで、一頭だけパッチワーク模様のエルマー。特別かしこくもないし、ヒーローみたいに強くもない。仲間を窮地《きゅうち》から救ったわけでも、不思議な力を持っているわけでもありません。ただエルマーとして存在している。そんな無条件の愛情に囲まれたエルマーと仲間たちのものがたりです。

4. 映画

『全然大丈夫《だいじょうぶ》』（二〇〇七年）監督《かんとく》：藤田容介　出演：荒川良々／木村佳乃／岡田義徳／田中直樹（ココリコ）

全然大丈夫ではない、あきれてしまうほど不器用な人たちが織りなすハートウォームなコメディです。一人、顔に赤アザがある男性がいて、彼が一番バランスがよかったりします。見た目の症状に誰も過剰《かじょう》に反応しない、そんな雰囲気もまるごと含《ふく》めて、ホッとして笑える映画です。

『嗤《わら》う伊右衛門《いえもん》』（二〇〇三年）監督：蜷川幸雄　出演：唐沢寿明／小雪／椎名桔平／香川照之

古典「四谷《よつや》怪談《かいだん》」を斬新《ざんしん》なアレンジで仕上げた京極夏彦さんの小説を映像化。病を患《わずら》い、顔の片側がただれ、右目は白くにごっている女性、岩《いわ》は、顔をかくそうとはせず、堂々と町を歩き、凜《りん》として生きています。伊右衛門も岩をけっして醜《みにく》いとは思っていない。たがいに憎《にく》からず思っているのに、素直《すなお》になれない二人のせつないラブストーリーです。

『ワンダー 君は太陽』（二〇一七年／アメリカ）監督：スティーヴン・チョボスキー　出演：ジュリア・ロバーツ／ジェイコブ・トレンブレイ／オーウェン・ウィルソン

小説『ワンダー Wonder』を映像化した作品。小説の雰囲気をみごとに表し、主人公オギーの日常を両親、姉、友人など、さまざまな人たちの視点から描いています。長い小説を読むのは苦手という方は、まず映画から試《ため》してみてはいかがでしょうか。

『エレファント・マン』（一九八〇年／イギリス・アメリカ合作）監督：デヴィッド・リンチ　出演：ジョン・ハート／アンソニー・ホプキンス

一九世紀末のロンドン。見世物《みせもの》小屋で「エレファント・マン（象人間）」と呼ばれていたジョン・メリックを見かけた医師トリーブスは、ジョンを救い出し、病院で生活できるよう計らいます。ジョンはトリーブスに「友よ」と語りかけ、二人はよい関係を築いているように見えるのですが、トリーブスは一度もジョンを友とは呼びません。深い闇《やみ》を感じました。

『グレイテスト・ショーマン』（二〇一七年／アメリカ）監督：マイケル・グレイシー　出演：ヒュー・ジャックマン／キアラ・セトル／ザック・エフロン／ゼンデイヤ

興行師《こうぎょうし》バーナムは、見た目の症状、障がい、人種など、さまざまな理由で迫害《はくがい》されてきた人々を集めてショーを開催《かいさい》し、一躍《いちやく》、時の人へ。ところが、成功したバーナムはショーの出演者たちを「恥《は》ずかしい存在」として扱《あつか》ってしまいます。バーナムの仕打ちに打ち勝つように歌い上げる「This is me」は圧巻！　さげすまれてきたことへの怒《いか》りが、自己肯定《じここうてい》のパワーへと昇華《しょうか》する瞬間《しゅんかん》を見るようです。

『いつも心はジャイアント』（二〇一六年／スウェーデン・デンマーク合作）監督：ヨハネス・ニホーム　出演：クリスティアン・アンドレン／ヨハン・シレーン／アンナ・ビェルケルード

生まれつきの難病で、頭蓋《ずがい》が変形しているリカルドは、球技ペタンクを一緒《いっしょ》に楽しむ仲間もいるし、それなりに幸せに暮らしていました。ところが、ある事件をきっかけにペタンク仲間たちが彼を厄介者《やっかいもの》扱いしていきます。同情や哀《あわ》れみから生まれた善意はもろい。でも、その善意が消え失せたあとに生まれる友情に希望の光を感じます。

『シラノ・ド・ベルジュラック』（一九九〇年／フランス・ハンガリー合作）監督：ジャン＝ポール・ラプノー　出演：ジェラール・ドパルデュー／アンヌ・ブロシェ／ヴァンサン・ペレーズ

豊かな知識と確かな剣《けん》の腕《うで》を持つシラノは、強がってはいるものの本当は異常に大きな鼻に強いコンプレックスを抱《いだ》いています。ハンサムな騎士《きし》クリスチャンの替《か》え玉《だま》となり、ロクサーヌに手紙を贈《おく》り続けるシラノ。その虚《むな》しさにシラノだって気づいていたはずなのに……。

『オープン・ユア・アイズ』（一九九七年／スペイン）監督：アレハンドロ・アメナーバル　出演：エドゥアルド・ノリエガ／ペネロペ・クルス／ナイワ・ニムリ／フェレ・マルティネス

ハンサムで大金持ち、人生に何の不満もなく暮らしていた青年セサールは、交通事故で顔が醜く変貌《へんぼう》してしまいます。金に物を言わせて何とか治そうとあがく様子はとてもしっくりくるけれど、それを経て人として幸せになってほしかった。セサールが最後に選んだ道が、残念でなりません。

※本書の印税はすべて、NPO法人マイフェイス・マイスタイルの活動資金に使用いたします。

外川浩子
東京都墨田区生まれ．慶應義塾大学通信教育課程文学部卒業．NPO 団体を経て独立．NPO 法人マイフェイス・マイスタイル代表．
20 代の頃につき合った男性の顔に大きなやけどの痕があったことがきっかけで，見た目の問題に関心をもつようになる．一緒に街を歩いているときも，電車に乗っているときも，たくさんの人たちの視線を感じて，「人って，こんなに無遠慮に見てくるんだ⁉」と驚き，見られ続けるストレスにショックを受ける．
2006 年，実弟の外川正行とマイフェイス・マイスタイルを設立．見た目に目立つ症状をもつ人たちがぶつかる困難を「見た目問題」と名づけ，交流会や講演などを通して問題解決をめざし，「人生は，見た目ではなく，人と人のつながりで決まる」と伝え続けている．
作家の水野敬也さんと『顔ニモマケズ──どんな「見た目」でも幸せになれることを証明した 9 人の物語』(2017 年，文響社)を刊行．

人は見た目！ と言うけれど
──私の顔で，自分らしく　　岩波ジュニア新書 926

2020 年 11 月 20 日　第 1 刷発行

著　者　外川浩子《とがわひろこ》

発行者　岡本　厚

発行所　株式会社 岩波書店
〒101-8002 東京都千代田区一ツ橋 2-5-5
案内 03-5210-4000　営業部 03-5210-4111
ジュニア新書編集部 03-5210-4065
https://www.iwanami.co.jp/

印刷・三陽社　カバー・精興社　製本・中永製本

ISBN 978-4-00-500926-8　　Printed in Japan

岩波ジュニア新書の発足に際して

きみたち若い世代は人生の出発点に立っています。きみたちの未来は大きな可能性に満ち、陽春の日のようにひかり輝いています。勉学に体力づくりに、明るくはつらつとした日々を送っていることでしょう。

しかしながら、現代の社会は、また、さまざまな矛盾をはらんでいます。営々として築かれた人類の歴史のなかで、幾千億の先達《せんだつ》たちの英知と努力によって、未知が究明され、人類の進歩がもたらされ、大きく文化として蓄積されてきました。にもかかわらず現代は、核戦争による人類絶滅の危機、貧富の差をはじめとするさまざまな人間的不平等、社会と科学の発展が一方においてもたらした環境の破壊、エネルギーや食糧問題の不安等々、来るべき二十一世紀を前にして、解決を迫られているたくさんの大きな課題がひしめいています。現実の世界はきわめて厳しく、人類の平和と発展のためには、きみたちの新しい英知と真摯《しんし》な努力が切実に必要とされています。

きみたちの前途には、こうした人類の明日の運命が託されています。ですから、たとえば現在の学校で生じているささいな「学力」の差、あるいは家庭環境などによる条件の違いにとらわれて、自分の将来を見限ったりはしないでほしいと思います。個々人の能力とか才能は、いつどこで開花するか計り知れないものがありますし、努力と鍛練の積み重ねの上にこそ切り開かれるものですから、簡単に可能性を放棄したり、容易に「現実」と妥協したりすることのないようにと願っています。

わたしたちは、これから人生を歩むきみたちが、生きることのほんとうの意味を問い、大きく明日をひらくことを心から期待して、ここに新たに岩波ジュニア新書を創刊します。現実に立ち向かうために必要とする知性、豊かな感性と想像力を、きみたちが自らのなかに育てるのに役立ててもらえるよう、すぐれた執筆者による適切な話題を、豊富な写真や挿絵とともに書き下ろしで提供します。若い世代の良き話し相手として、このシリーズを注目してください。わたしたちもまた、きみたちの明日に刮目《かつもく》しています。（一九七九年六月）

912 新・大学でなにを学ぶか
上田紀行 編著
大学では何をどのように学ぶのか? 池上彰氏をはじめリベラルアーツ教育に携わる気鋭の大学教員たちからのメッセージ。

913 統計学をめぐる散歩道
―ツキは続く? 続かない?
石黒真木夫
天気予報や選挙の当選確率、くじの当たり外れやじゃんけんの勝敗などから、統計のしくみをのぞいてみよう。

914 読解力を身につける
村上慎一
評論文、実用的な文章、資料やグラフ、文学的な文章の読み方を解説。名著『なぜ国語を学ぶのか』の著者による国語入門。

915 きみのまちに未来はあるか?
―「根っこ」から地域をつくる
除本理史
佐無田光
地域の宝物=「根っこ」と自覚した住民によるまちづくりが活発化している。各地の事例から、未来へ続く地域の在り方を提案。

916 博士の愛したジミな昆虫
金子修治
鈴木紀之 編著
安田弘法
SFみたいなびっくり生態、生物たちの複雑怪奇なからみ合い。その謎を解いていくワクワクを、昆虫博士たちが熱く語る!

917 有権者って誰?
藪野祐三
あなたはどのタイプの有権者ですか? 社会に参加するツールとしての選挙のしくみや意義をわかりやすく解説します。

918
議会制民主主義の活かし方
――未来を選ぶために
糠塚康江

私達は忘れている。未来は選べるということを。必要なのは議会制民主主義を理解し、使いこなす力を持つこと、と著者は説く。

919
繊細すぎてしんどいあなたへ
HSP相談室
串崎真志

繊細すぎる性格を長所としていかに活かすかをアドバイス。「繊細でよかった！」読後にそう思えてくる一冊。

920
10代から考える生き方選び
竹信三恵子

10代にとって最適な人生の選択とは？ 各選択肢が孕むメリットやリスクを俯瞰しながら、生き延びる方法をアドバイスする。

921
一人で思う、二人で語る、みんなで考える
――実践！ロジコミ・メソッド
追手門学院大学成熟社会研究所 編

課題解決に役立つアクティブラーニングの道具箱。多様な意見の中から結論を導くロジカルコミュニケーションの方法を解説。

922
できちゃいました！ フツーの学校
富士晴英とゆかいな仲間たち

生徒の自己肯定感を高め、主体的に学ぶ場を作ろう。校長からのメッセージは「失敗OK！」「さあ、やってみよう」

923
こころと身体の心理学
山口真美

金縛り、夢、絶対音感――。様々な事例をもとに第一線の科学者が自身の病とも向き合って解説した、今を生きるための身体論。